GÜNTER LANCZKOWSKI

EINFÜHRUNG

IN DIE RELIGIONSPHÄNOMENOLOGIE

DIE THEOLOGIE

Einführungen in Gegenstand, Methoden und Ergebnisse
ihrer Disziplinen und Nachbarwissenschaften

1978
WISSENSCHAFTLICHE BUCHGESELLSCHAFT
DARMSTADT

GÜNTER LANCZKOWSKI

EINFÜHRUNG
IN DIE
RELIGIONSPHÄNOMENOLOGIE

1978
WISSENSCHAFTLICHE BUCHGESELLSCHAFT
DARMSTADT

CIP-Kurztitelaufnahme der Deutschen Bibliothek

Lanczkowski, Günter:
Einführung in die Religionsphänomenologie / Günter Lanczkowski. — Darmstadt: Wissenschaftliche Buchgesellschaft, 1978.
(Die Theologie)
ISBN 3-534-07759-8

wb Bestellnummer 7759-8

© 1978 by Wissenschaftliche Buchgesellschaft, Darmstadt
Satz: Maschinensatz Gutowski, Weiterstadt
Druck und Einband: Wissenschaftliche Buchgesellschaft, Darmstadt
Printed in Germany
Schrift: Linotype Garamond, 9/11

ISBN 3-534-07759-8

INHALTSVERZEICHNIS

VORWORT

Die folgenden Darlegungen sollen eine *Einführung* in die Religionsphänomenologie geben. Damit ist ihre Aufgabe klar umrissen. Sie kann nicht darin bestehen, eine Religionsphänomenologie « en miniature » zu bieten mit knappen Zusammenfassungen bestimmter, möglichst zahlreicher Themenkreise.

Vielmehr ist es ihr Ziel, anzuleiten zum Verständnis dieses Teilgebietes der Religionsforschung, seine Anliegen und Probleme zu verdeutlichen und Begriffe zu klären, mit denen die Religionsphänomenologie arbeitet.

Dies geschieht sukzessive, vor allem im Hinblick auf Leser, die sich Kenntnisse in diesem Bereich aneignen wollen, aber bislang noch nicht darüber verfügen. Ausgehend vom spontan vollzogenen religionsgeschichtlichen Vergleich in einer aktuellen interreligiösen Situation, soll hingeführt werden zur wissenschaftlichen, systematischen Anwendung des Vergleichs als des hermeneutischen Mittels zur Wesenserfassung religiöser Phänomene.

Keine Religionsphänomenologie, auch nicht die voluminöseste, kann, ohne uferlos zu werden, alle Themen ihres Gebietes in gleicher Ausführlichkeit darstellen und belegen. Daß die jeweils getroffene Auswahl den Standpunkt des Autors und auch seine eigenen Forschungsergebnisse deutlich werden läßt, gilt selbstverständlich auch für diese Einführung.

Besonderer Wert wurde auf den aktuellen Bezug religiöser Phänomene gelegt. Wo Fakten, die religionsphänomenologischen Begriffen zugrunde liegen, heute gern vorschnell als antiquiert bezeichnet werden, ist mehrfach und absichtlich auf ihre bis in die Gegenwart fortwirkende Bedeutung verwiesen worden. Beispielsweise gilt dies für das Phänomen des Mythos.

Die reichlich bemessenen Literaturangaben und das beigefügte Register mögen Studierenden Anregungen vermitteln und eine Hilfe für eigene Arbeiten bieten.

DER RELIGIONSGESCHICHTLICHE VERGLEICH

Wenn man einen Zugang gewinnen will zu Aufgaben und Problemen der Religionsphänomenologie, so ist es gut, sich zunächst mit einem Vorläufer vertraut zu machen, mit dem jeweils in konreten Situationen interreligiöser Begegnungen auftretenden *Vergleich*, mit den unterschiedlichen Intentionen, die ihm zugrunde liegen können, den aus diesen resultierenden Konsequenzen sowie mit den Begriffen, mit denen diese Erscheinungen erfaßt werden.

Eine Äußerung, die aus der Epoche der Conquista, dem Beginn der globalen Ausbreitung des Europäertums und seiner Kenntnisnahme vieler fremder, bislang unbekannter Religionen, überliefert wird, ist geeignet, diese Aufgabe einzuleiten.

Als Fernando Cortés, der Eroberer Mexikos, im November 1519 die Stadt Mexiko-Tenochtitlan, die Metropole des aztekischen Herrschaftsbereichs, betrat und die das Stadtbild prägenden indianischen Kultbauten die staunende Bewunderung der Spanier erregten, da schrieb dieser bedeutendste der Conquistadoren in der zweiten Relation, die er seinem Kaiser Karl V. sandte [1]:

Es gibt in dieser großen Stadt viele Moscheen oder Götzentempel von sehr schöner Bauart für ihre verschiedenen Sprengel oder Bezirke.

Man sollte die hinter dieser scheinbar sehr einfachen Aussage stehenden Schwierigkeiten nicht unterschätzen, die damals durch die plötzlich gestellte Aufgabe des Begreifens und Verstehens einer völlig fremden Religion in einer neuen, unbekannten Welt aufgetreten waren. Um so erstaunlicher ist die Art und Weise, in der Cortés mit *Vergleich und Unterscheidung zur Wesenserfassung* gelangt. Ihm fehlt, verständlicherweise, noch ein Begriff für die Kultbauten der Azteken. Deshalb bezeichnet er sie als „Moscheen", und er überträgt auf sie hiermit einen ihm aus der islamisch-maurischen Periode seiner spanischen Heimat geläufigen Ausdruck für fremdreligiöse Bauten. Dem fügt er noch den Begriff des „Götzentempels" hinzu, womit er auf antike Kultstätten anspielt.

Beide Vergleiche reichen aus, um die Bauwerke Mexikos als Sakralbauten zu kennzeichnen. Immanent ist diesem Vergleich aber zusätzlich eine Unterscheidung, die vollauf deutlich wird, wenn man sich vergegenwärtigt, daß es Cortés sehr fern gelegen hätte, hier Begriffe wie Dom, Kathedrale oder Kirche zu verwenden.

Sowohl das Fehlen derartiger Bezeichnungen als auch der vergleichende Hinweis auf islamische und antike Bauten sollen die Gebäude der Azteken als fremdreligiöse, von christlichen strikt zu unterscheidende Sakralbauten charakterisieren.

Die Äußerungen des Cortés sind signifikant für die Deutung fremdreligiöser Erscheinungen mit Hilfe der vergleichenden Erwähnung bekannter Fakten, und sie haben zudem geschichtliche Bedeutung, insofern sie der Epoche der Conquista entstammen und damit am Beginn der Erfahrung eines über mittelalterliche Kenntnisse weit hinausgehenden, nämlich schlechthin globalen Pluralismus der Religionen stehen. Aber sie sind andererseits keineswegs der erste Versuch, durch Religionsvergleichung zur Wesenserfassung fremder Erscheinungen zu gelangen.

Bezeichnend hierfür war vielmehr bereits ein von antiken Autoren sehr häufig angewandtes Verfahren, nämlich die griechische bzw. römische Deutung, die *interpretatio Graeca* oder *interpretatio Romana*. Es handelte sich um das Prinzip, fremde, neu in den Gesichtskreis der antiken Welt eintretende Numina mit den Namen bekannter griechischer oder römischer Gottheiten zu bezeichnen. Zweifellos lag dieser Methode eine vorrangige Wertschätzung göttlicher Qualitäten und Funktionen zugrunde, hinter der der Name der jeweiligen Gottheit so weit zurücktrat, daß er für austauschbar angesehen wurde. Im Zuge dieses Interpretationsverfahrens konnte es jedoch nicht ausbleiben, daß auch Sonderzüge im Wesen der einzelnen Gottheiten zumindest teilweise verwischt wurden.

Die primäre Intention dieser Deutung, die detaillierte Beschreibungen durch die Nennung bekannter Namen ersetzt, ist zweifellos das Bestreben gewesen, das *Verstehen* des Fremden zu fördern. So berichtet beispielsweise der griechische Historiker Polybios über einen Vertrag, den Hannibal im Jahre 215 v. Chr. mit Philipp V. von Makedonien schloß, und er überliefert, daß Hannibal diesen Vertrag mit einem Eid besiegelt habe, in den er als Schwurgötter an erster Stelle Zeus und Hera einschloß [2].

Natürlich hatte Hannibal nicht die für ihn unverbindlichen griechischen Gottheiten als Zeugen seines Eides angerufen, sondern Numina seiner Heimat. Wenn Polybios an erster Stelle Zeus nennt, so dürfte damit zweifelsfrei der in Karthago an der Spitze des Pantheons stehende Baal Chammon gemeint sein. Und hinter Hera verbirgt sich höchstwahrscheinlich die karthagische Tinnit, deren Aspekt der Muttergöttin ihre Gleichsetzung mit der griechischen Hera rechtfertigte.

Die Methode speziell der römischen Deutung ist durch ihre Anwendung auf die germanische und die keltische Religion am bekanntesten geworden. So bediente sich Tacitus der Interpretatio Romana, als er über die Germanen schrieb [3]:

Von den Göttern verehren sie am meisten Merkur, dem sie an bestimmten Festtagen auch Menschenopfer darbringen dürfen. Herkules und Mars versöhnen sie mit erlaubten Tieren. Ein Teil der Sweben opfert auch der Isis: über Anlaß und Ursprung dieses fremden Kultes habe ich wenig in Erfahrung gebracht, nur daß ein Sinnbild in der Gestalt eines Liburnerschiffes lehrt, daß dieser Glaube aus der Fremde stammt.

Für den Religionshistoriker, der derartige Texte als Quellen benutzt, stellt die vergleichende Methode der Interpretatio Romana die Aufgabe, das ungenannte zweite Glied des Vergleichs, hier also die germanischen Namen der zitierten Götter, in wissenschaftlich zuverlässiger Weise zu eruieren. Dabei besteht kein Zweifel darüber, daß mit Merkur, da er als der am meisten verehrte Gott der Germanen genannt wird, nur der südgermanische Wodan gemeint sein kann.

Für Herkules und Mars sind wir auf die Qualitäten beider Gestalten angewiesen. Hierbei herrscht in der Forschung Einigkeit darüber, daß dem kraftvollen Herkules der germanische Donar, der Herr des Donners und ein Gott der Stärke, entspricht, dem römischen Kriegsgott Mars aber Ziu, mit dem sich ebenfalls kriegerische Funktionen verbanden [4].

Umstritten ist Isis; möglicherweise verbirgt sich hinter ihr die germanische Nerthus [5]. Denn eine Entlehnung aus dem Ägyptischen ist kaum anzunehmen, und die Erwähnung eines Schiffes des illyrischen Piratenstammes der Liburner bleibt rätselhaft.

Die Entschlüsselung des Verfahrens der Interpretatio Romana kann leider nicht durchweg mit stets denselben numinosen Vergleichspersonen rechnen. So schreibt Caesar über die Gallier [6]:

Unter den Göttern verehren sie am höchsten den Merkur, von dem es auch die meisten Bildwerke gibt. Ihn halten sie für den Erfinder aller Künste, für den Führer auf Wegen und Märschen, von ihm glauben sie, daß er die größte Macht besitze bei Gelderwerb und Handelsgeschäften.

Die Qualitäten, die hier aufgezählt werden, verweisen mit großer Wahrscheinlichkeit auf den keltischen Gott Ogmios. Sollte dies zutreffen, dann lohnt es sich, dem Caesar-Text eine Aussage Lukians gegenüberzustellen, in der es heißt [7]:
Den Herakles nennen die Kelten in ihrer eigenen Sprache Ogmios.

Die Gegenüberstellung beider Texte zeigt die *Grenzen des Vergleichs*, den die Interpretatio Romana eben nicht nach einem wissenschaftlich festliegenden Schema, sondern in einer recht freien Weise vollzog. Es ging ihr um die Wesenserfassung und viel weniger um Namen. Dies trat auch bei einer zweiten Intention in Erscheinung, die der Interpretatio Romana zugrunde lag. Hierbei handelte es sich nicht bloß um eine vergleichende Verdeutlichung des Wesens fremder Numina, sondern um die *Aneignung* ihrer Qualitäten durch römische. Durch diese Öffnung für fremde Einwirkung, die zunächst vornehmlich etruskisch war und später in überwiegendem Maße griechisch, sind die Götter Roms, deren Individualitäten anfangs sehr wenig ausgeprägt waren, zu profilierteren, mythologisch reicher entfalteten Gestalten geworden.

Das gleiche Prinzip der Erweiterung des Macht- und Wirkungsbereichs, dem letztlich der Vergleich zugrunde lag, herrschte auch vor, als orientalische Numina in Rom Eingang fanden und Minucius Felix beispielhaft von den „ehemals ägyptischen, jetzt auch römischen" Gottheiten sprechen konnte [8]. Für das Ausmaß eines Vergleichs mit aneignender, individuelle Sonderzüge nivellierender Tendenz sprechen Versuche, auch Jahwe, den Gott des Alten Testaments, dem griechischen Zeus und vor allem, was durch formale Affinität beider Namen erleichtert wurde, dem römischen Jupiter anzugleichen [9].

Wesentlich ist, daß im Gegensatz zu einer rein interpretierenden, der Information dienenden Vergleichung hierbei eine für das religiöse Leben äußerst relevante vollzogen wurde. Sie betraf primär nicht Bereiche der Ethik oder des Kultes, sondern des Götterglaubens. Und sie führte zu einer Vermischung von Gottheiten, zu einer *Theokrasie*.

Man pflegt das die religiöse Situation der Spätantike kennzeichnende Ergebnis dieses Prozesses, der sich auch auf kultische Handlungen ausdehnte, *Synkretismus* zu nennen. Der Begriff „Synkretismus" hat eine eigentümliche Geschichte. Das im Griechischen nur selten belegte Wort bezog sich zunächst auf Kreta und bezeichnete einen Zusammenschluß der gewöhnlich untereinander verfeindeten kretischen Städte bei äußerer Bedrohung. Erasmus von Rotterdam brachte das Wort mit dem griechischen Verbum *synkeránnymi*, „zusammenmischen", in Verbindung und wandte es an für ein friedfertiges Verhalten religiöser Gegner. Später wurde es für die Vereinigung an sich unvereinbarer Gegensätze gebraucht. Die Religionswissenschaft nahm den Begriff auf. Sie bezeichnet mit Synkretismus das Phänomen einer Vermischung verschiedener Religionen [10].

Der Synkretismus ist, so sehr er auch kennzeichnend war für die
Epoche der Spätantike, doch keine auf jene Zeit begrenzte Erscheinung
gewesen. Innerhalb der Religionsgeschichte sind vielmehr Synkretismen vor und nach der Spätantike nachweisbar.

Ebenso ist eine andere Erscheinung der Religionsgeschichte nicht an
eine bestimmte Epoche gebunden, nämlich das zu verschiedenen Zeiten
vorgetragene und bis in die Gegenwart hinein von einzelnen Organi-
sationen vertretene *Programm einer Universalreligion*, die die traditionellen Religionen einheitlich zusammenschließen soll. Dies geschieht
auf der Basis einer umfassenden *Toleranz*, die *religionsvergleichend*
motiviert wird. Typisch hierfür ist eine Behauptung, die im vorigen
Jahrhundert der bengalische Brahmane Ramakrishna (1834–1886)
aufstellte, als er Christus und Krishna, eine Erscheinungsform des
indischen Gottes Vishnu, mit dem Begriff des Avatāra, des „Herab-
stiegs", d. h. der wiederholten irdischen Erscheinungen eines Gottes,
in vereinheitlichender Weise zu erfassen suchte. Er schrieb [11]:

Es ist ein und derselbe Avatāra, der in das Meer des Lebens sich stürzt, an
einer Stelle heraufkommt und als Krishna bekannt wird und, wiederum tau-
chend, an einer anderen Stelle heraufkommt und Christus heißt.

In neuerer Zeit wird das Programm „una religio in rituum varietate" – „eine Religion in der Mannigfaltigkeit der Kulte", wie Nicolaus von Cues (gest. 1464) definierte, vor allem von humanitären
Anliegen getragen, und damit ist die Ebene des Vergleichs bei einem
bemerkenswerten Zurücktreten von Gottesglauben und Kult einseitig
auf das Gebiet der Ethik verlagert worden. Im Prinzip war dies schon
in der auf Boccaccio zurückgehenden berühmten Ringfabel der Fall,
die Lessing durch die Übernahme in seinen ›Nathan‹ weithin bekannt
machte: der Richter, der dort die drei das Christentum, das Judentum
und den Islam symbolisierenden Ringe vergleichen soll und außer-
stande ist, den einen, echten von zwei Imitationen zu unterscheiden,
beschließt seine Rede mit der Aufforderung zu einem ethischen Handeln in vorurteilsfreier Liebe. –

Es wäre ein Irrtum, auf Grund des bislang Ausgeführten annehmen
zu wollen, der religionsgeschichtliche Vergleich diene dort, wo er praktische Bedeutung gewinnt, ausschließlich der Harmonisierung und
Toleranz. Vielmehr ist die Religionsvergleichung recht oft auch zur
Abwehr des Fremden herangezogen worden, zur Abgrenzung vom
eigenen religiösen Erbe und Bekenntnis, zur Unterscheidung und Polemik, zur *Demarkation*. So etwa steht religionsvergleichend das Bild
der anthropomorphen Götter Griechenlands im Hintergrund, wenn
Lukian von Samosata seiner Verachtung des Tierkultes der ägyptischen

Spätzeit scharfen Ausdruck verleiht und im Rat der menschengestaltigen Olympier Anklage erheben läßt gegen das Eindringen ägyptischer Numina [12]:

Du hundsköpfiger, in Leinen gehüllter Ägypter, wer bist denn du? Und wie kannst du bellender Hund ein Gott sein wollen? Und wozu läßt sich der bunte Stier aus Memphis verehren und gibt Orakel und hat Priester? Von Ibissen und Affen und Böcken will ich lieber gar nicht sprechen und auch nicht von dem anderen lächerlichen Zeug, das irgendwie aus Ägypten in den Himmel eingeschmuggelt ist. Wie könnt ihr Götter es nur mit ansehen, daß man die ebenso gut verehrt wie euch oder womöglich noch besser? Und du, Zeus, wie kannst du es aushalten, daß sie dich mit Widderhörnern behaften?

Auch das frühe Christentum hat gegenüber den Fremdreligionen, die es in den Gebieten seiner Verbreitung vorfand, keine inklusive, sondern eine vornehmlich exklusive Haltung eingenommen, die dem Worte Augustins entsprach [13]:

Omnes dii gentium daemonia – alle Götter der „Heiden" sind Dämonen.

Für die vergleichende Deutung religiöser Phänomene war damit ein wesentlicher Unterschied zwischen der *interpretatio Romana* und der *interpretatio Christiana* gegeben. Die gegensätzlichen Ausgangspositionen beider Methoden hat, demonstriert am Verhalten gegenüber der germanischen Religion, Helge Ljungberg in seinem Werk ›Die nordische Religion und das Christentum‹ klar umrissen [14]:

Zwischen der *Interpretatio Romana* und der *Interpretatio Christiana* besteht ... ein prinzipieller religionsgeschichtlicher Unterschied: Die römischen Verfasser identifizieren die germanischen Götter mit den römischen, akzeptieren sie als Götter und stellen sie ihren eigenen Göttern gleich; die christlichen Verfasser dagegen identifizieren die germanischen Götter mit den bösen Geistmächten, mit den Dämonen und Teufeln, d. h. sahen einen prinzipiellen Gegensatz zwischen den Göttern der Heiden und ihrem eigenen Gott. Die *Interpretatio Romana* ist eben der Ausdruck einer gewissen Nonchalance und einer Überlegenheit seitens der Römer gegenüber dem Barbarenvolk, findet aber ihre Motivierung, religionspsychologisch gesehen, in der fehlenden Schärfe des Gottesbegriffes. Die *Interpretatio Christiana* ist eine konsequente Folgeerscheinung der Glaubensexklusivität des Christentums, die auf seinem absoluten Gottesbegriff gründet.

Die christliche Dämonenlehre, die in diesen Ausführungen angesprochen wird, fand auch Anwendung auf solche fremdreligiösen Erscheinungen, die, verglichen mit den christlichen, zu diesen verwandte Züge aufwiesen oder aufzuweisen schienen. Die Kirchenväter stuften sie ein als *imitatio diabolica*, als „teuflische Nachahmung".

Dieser Konsequenz des abwertenden, exklusiven Vergleichs nahe verwandt ist eine Erscheinung, die wir nach dem Vorgang des Neutestamentlers Adolf Deißmann *polemischen Parallelismus* nennen. Er ist leicht am Beispiel der Stellung des Christentums zum spätantiken Herrscherkult aufzuzeigen. Die junge Christengemeinde weigerte sich entschieden, eine Göttlichkeit der Kaiser anzuerkennen. Aber sie übernahm für Christus Hoheitstitel und Würdenamen aus der Terminologie des Kaiserkultes. Ein polemischer Parallelismus wird auch dort empfunden, wo Begriffe, die zum eigensten Besitz des Christentums gehören, mit ähnlichen oder gleichlautenden der Herrscherverehrung zusammentreffen. So tragen Christus und der Sakralherrscher gleichermaßen die Prädikate Kýrios, „Herr", Pantokrátor, „Allherrscher", und Sotér, „Heiland".

Auf heidnischer Seite ist Herkules eine interessante Erscheinung des polemischen Parallelismus. Marcel Simon hat aufgezeigt, wie dieser Heros für das spätantike Heidentum mehr und mehr zu einem Gegenspieler Christi wurde[15]. Für Julian Apostata ist er Prototyp des Weisen wie des Herrschers. Und deutlich ist, daß der Kaiser einen neutestamentlichen Bericht polemisch übernimmt, wenn er zu den überkommenen Herkules-Erzählungen hinzufügt, der Heros sei mit trockenen Füßen über das Meer geschritten.

Schließlich zeigt der polemische Vergleich Ansätze zu einer religionsgeschichtlichen *Systembildung*. Wenn nämlich in frühchristlicher Zeit Etrurien als „genetrix et mater superstitionis", als „Urheberin und Mutter des Aberglaubens", bezeichnet wird, so liegt die Vorstellung von einem Ausbreitungszentrum und von Wanderungen dämonischer Anschauungen zugrunde, die von dort ihren Ausgang genommen hätten. Hiermit war ein Ansatz zu dem gegeben, was viel später in der Religionswissenschaft als *Migrationstheorie* diskutiert worden ist.

Der polemische, antithetische Vergleich ist bekanntlich nicht die einzige Haltung gewesen, die die Alte Kirche gegenüber den Fremdreligionen einnahm. Beginnend mit Justinus Martyr und seiner Lehre von der keimhaft in der Welt waltenden Vernunft, vom *Lógos spermatikós*, erlangte vielmehr seit der zweiten Hälfte des 2. Jahrhunderts eine vergleichende Betrachtung Gültigkeit, die in den außerchristlichen Religionen eine Vorstufe zum Christentum, eine *praeparatio evangelica* oder *propaideía Christoū* erblickte. Dieser synthetische Vergleich ermöglichte und rechtfertigte die missionarische Praxis der *Akkomodation*, die freilich, wie der im 16. Jahrhundert auf asiatischen Missionsfeldern einsetzende und lang anhaltende „Ritenstreit" zeigt, umstritten blieb.

Was unter Akkomodation, der Anpassung an vorgefundene Glaubensformen und rituelle Verpflichtungen, zu verstehen ist, geht mit wünschenswerter Deutlichkeit aus einem Schreiben hervor, das Papst Gregor der Große dem 596 als Missionsbischof zu den Angelsachsen entsandten römischen Abt Augustinus zustellen ließ [16]:

Ich bin der Meinung, man solle die Götzentempel bei diesem Volke nicht zerstören, nur die Götzenbilder, die sich darin befinden, vernichten, die Mauern aber mit Weihwasser besprengen, um sie gleichsam zu reinigen, Altäre darin errichten und Reliquien niederlegen, damit, wenn das Volk sieht, daß man seine Tempel unversehrt läßt, es seinen Irrtum von Herzen ablege und sich an den nun einmal gewohnten Stätten zur Anbetung des wahren Gottes williger versammele ... Denn es wäre zweifellos nicht möglich, störrischen Gemütern alles auf einmal zu entreißen.

Der Optimismus dieser Ausführungen war, geschichtlich gesehen, durchaus nicht immer gerechtfertigt. Vielmehr hat die Anknüpfung an Zeugen vorchristlichen Glaubens nicht selten zur Konservierung von Phänomenen einer fremden Religion geführt, zu deren *Survivancen* oder *Survivals*.

Allerdings ist im Einzelfall oft schwer oder gar nicht zu entscheiden, ob diese Survivancen, deren spätere Deutung den synthetischen Vergleich mit christlichen Vorstellungen im Prinzip voraussetzt, durch die Akkomodationspraxis angeregt wurden oder sich völlig selbständig in einer unterdogmatischen Schicht der Religion, im eigentlichen Volksglauben, der „Religion der Tiefe", wie sie Friedrich Pfister bezeichnete [17], als *Assimilationen* vollzogen.

Im Ergebnis zeigen sich jedenfalls Erscheinungen, wie sie die aneignende Intention der Interpretatio Romana bewußt erstrebt hatte. Es treten *Synkretismen* zutage.

So geht etwa die Gestalt des hl. Nikolaus, eines der beliebtesten Volksheiligen des Morgen- und Abendlandes, auf den im 4. Jahrhundert lebenden Bischof Nikolaus vom Myra zurück. Im Osten, wo er u. a. als Erretter aus Seenot verehrt wird, verbanden sich mit ihm Züge des griechischen Meergottes Poseidon [18]. Bemerkenswerter noch sind die Attribute, die seiner Person im Westen beigegeben wurden. Man identifizierte ihn mit dem rauhen Percht oder Rupprecht, einem männlichen Begleiter der germanischen Perchta oder Frau Holle, und hieraus resultierten die Beifügungen des Rucksacks und des Stockes, die beide mit „Knecht Rupprecht" verbunden sind. Der primäre *Vergleichspunkt* beider Gestalten, des einstigen Bischofs und des germanischen Geistes, war ein *zeitlicher:* der 6. Dezember, der Festtag des Heiligen, fiel annähernd zusammen mit dem Termin der Umzüge der Frau Holle und ihrer Schar dämonischer Wesen, jener Geisterzüge, deren Dramatisierung sich im Perchtenlauf der Alpenländer sehr lange erhalten hat [19]. Neben den zeitlichen sind oft *religionsgeographische Voraussetzungen für Vergleiche* und die aus ihnen resultierenden Synkretismen zu beobachten. Bis in die Gegenwart hinein behaupten die Äthiopier, in jeder Sykomore wohne eine Maria [20]. Zugrunde liegen Vorstellungen, die sich mit der altägyptischen Göttin Hathor verbanden. Bei Memphis lag ein Heiligtum der „Hathor, Herrin der südlichen Sykomore", und im dritten unterägyptischen Gau wurde die „Hathor, Herrin der Dattelpalmen" verehrt [21]. Frühe Ausstrahlungen ägyptischer Vorstellungen nach Äthiopien sind bekannt. Zusätzlich zu diesen geographischen Voraussetzungen trat als zweiter Vergleichspunkt, an den sich weitere Vorstellungen heften konnten, der mütterliche Charakter sowohl der Maria als auch der Hathor. –

Vergleiche, die von der missionarischen Akkomodation intendiert sind, führen nicht allein zu Synkretismen, sie bergen vielmehr auch die *Gefahr des Irrtums* in sich. Ein ebenso bezeichnendes wie aktuelles Beispiel hierfür bietet der moderne Buddhismus mit seinem Bestreben, sich aus missionarischen Motiven westlichen Vorstellungen anzugleichen und die Erlösung vom universellen Weltleid in eine Befreiung von sozialen Leiden umzudeuten. U Ba Yin, ein ehemaliger Unterrichtsminister von Burma, behauptete im Jahre 1954, die Wahl zwischen Diktatur und Demokratie sei eine Wahl zwischen der Diktatur Gottes und der Demokratie des Buddha, und er schrieb im gleichen Jahr über den Materialismus [22]:

Ein Buddhist, der irgendwelche Darstellung des modernen Materialismus liest, hat das Gefühl, als lese er eine Version von Buddhas Theorien der Materie, und ein Buddhist weiß recht viel mehr über die Materie als irgendein moderner Wissenschaftler und Materialist. Soll die Wissenschaft schnelle Fortschritte machen, so müssen die Tatsachen des buddhistischen Materialismus angewendet werden.

Diese Sätze lassen in ihrem Bemühen, vergleichend die Priorität und Überlegenheit von Ansichten und Aussagen des Buddha gegenüber Staatsformen und naturwissenschaftlichen Theorien zu erweisen, den historischen Irrtum erkennen, der darin besteht, daß Buddhas überwertiges Anliegen die Erlösung aus dieser von ihm unendlich oft als absolut leidvoll qualifizierten Welt gewesen ist. Politische Probleme lagen daher als Aufgaben einer innerweltlichen Ordnung außerhalb seines Interesses, und wenn man den Urbuddhismus, wie es in der Tat vereinzelt geschehen ist [23], als reinen Materialismus begreifen will, so

ist diese Charakterisierung doch nur sinnvoll, wenn sie dem übergreifenden Ziel der Weltflucht und der Heilsgewinnung untergeordnet,
nicht aber der Naturwissenschaft verglichen wird. Mithin würde die
unterschiedliche *Intention der Aussage* in jedem Fall eine Vergleichsmöglichkeit ausschließen.

Auch die Missionsgeschichte des Christentums ist nicht frei von *Irrtümern des Vergleichs* und einer auf ihnen beruhenden vorschnellen
Identifikation außerchristlicher mit christlichen Begriffen. Typisch hierfür war ein bislang viel zu wenig beachtetes und erst in jüngster Zeit
in wissenschaftlich zuverlässiger Weise untersuchtes Religionsgespräch,
das christliche Missionare, Angehörige des Ordens der Franziskaner,
im Jahre 1524 mit aztekischen Adligen und Priestern führten [24]. Das
Bestreben der Franziskaner, für christliche Begriffe weitestgehend aztekische Termini zu verwenden, zeigte sich bei ihrer Verkündigung
des christlichen Gottesbegriffs, den sie unter anderem wiedergaben mit
Ipalnemoani, „der durch den man lebt", und mit Tloque Navaque,
„Herr der unmittelbaren Nachbarschaft". Bald jedoch mußten die
Franziskaner einsehen, daß hier gerade das Ausmaß der missionarischen Akkomodation dem Anliegen ihrer missionarischen Verkündigung im Wege stand, weil damit den Azteken keine Motivierung zur
Übernahme der neuen Botschaft deutlich wurde. Denn die aztekischen
Priester erklären in ihrer Antwortrede:

Ihr sagtet, daß wir nicht kennen den Herrn der unmittelbaren Nachbarschaft
... Es ist ein neues, unerhörtes Wort, das ihr sprachet, und darüber sind wir
bestürzt, daran nehmen wir Ärgernis.

Entgegen ihrer ursprünglichen Absicht werden die Franziskaner
nunmehr veranlaßt, den christlichen Gottesbegriff sprachlich deutlicher
vom mexikanischen zu unterscheiden. Sie tun dies, indem sie für den
christlichen Gottesbegriff das spanische Dios in die aztekische Rede
einführen.

Weitaus bekannter als diese Episode der Missionsgeschichte ist ein
Vergleich, den die Jesuitenmissionare des 16. Jahrhunderts zogen. Als
sie nach Japan kamen, glaubten sie, dort die „lutherische Häresie"
wiedergefunden zu haben, und einer der ihren, P. Franciscus Cabralis,
schrieb 1519 in einem Brief über eine buddhistische Sekte Japans [25]:

... die hier das, was die lutherische in Europa ist: denn sie sagen, es brauche
zur Seligkeit weiter nichts, als den einzigen Namen des Amida, und man füge
seinen vortrefflichen und dem menschlichen Geschlechte heilbringenden Verdiensten Unbill zu, wenn man glaubt, die Werke der Tugend und eines jeden
eigenes Bestreben sei noch über dies hierzu notwendig.

Der hier gezogene Vergleich mit dem *sola-fide*-Prinzip der lutherischen Rechtfertigungslehre lag bei der Beobachtung der buddhistischen Jōdo Shinshū, der „Schule des wahren Landes", um die es dabei ging, in der Tat sehr nahe. Denn in dieser japanischen Sekte des Buddhismus vertraut der Gläubige allein auf das umfassende Erbarmen des Amida-Buddha, des Buddha des „unendlichen Lichtglanzes", und hinsichtlich dieses Aspektes können wir von einer *typologischen Konvergenz* reden, einer unabhängig voneinander vollzogenen Ausbildung legitim vergleichbarer Vorstellungen. Aber daneben stehen gewichtige Unterschiede. Sie bestehen vornehmlich im Fehlen des christlichen Inkarnationsmysteriums und der christlichen Begriffe von Sünde und Schuld auf seiten dieser buddhistischen Sekte. Diese Unterscheidungen sind deshalb besonders bedeutsam, weil sie überall dort zu beachten sind, wo scheinbar Übereinstimmungen zwischen dem Christentum und jenen Religionen herausgestellt werden können, die aus dem Geiste Indiens entstanden sind. In seiner Schrift ›Die Gnadenreligion Indiens und das Christentum‹, die den bezeichnenden, programmatischen Untertitel ›Vergleich und Unterscheidung‹ trägt, hat Rudolf Otto diese Abgrenzung herausgestellt zwischen dem Christentum und dem indischen Weg der Bhakti, der vertrauenden Liebe auf göttliches Erlösungswirken. Da Rudolf Ottos Äußerungen hierzu generell für die methodischen Erfordernisse und die gebotenen Feinheiten des religionsgeschichtlichen Vergleichs von beträchtlicher Bedeutung sind, seien sie in extenso zitiert [26]:

Die Achse der Heilssuche war in Altindien, wie sie in seinem alten Gebete angegeben ist:
> Asato mā sad gamaya.
> Tamaso mā jyotir gamaya.
> Mrityor mā 'mritam gamaya.
> Das heißt:
> Aus dem Nichtseienden führe mich zum Seienden.
> Aus dem Dunkel führe mich ins Licht.
> Aus dem Tode führe mich zum Übertod.

Das Grundmotiv aber der palästinischen Religion ist angegeben in dem Urworte Heiliger Schrift, das schon Mose beigelegt wird:
> Ihr sollt heilig sein, denn ich bin heilig.

Damit ist ein *typischer* Unterschied beiden Religionen eingestiftet, der dadurch nicht aufgehoben, auch nicht zu einem nur gradweisen gemacht wird, daß beide Religionen die Motive der anderen ebenfalls als Begleitmotive besitzen: die spätere Bhakti-Religion tiefe Ideen von Vergebung und innerer Erneuerung, und die spätere neutestamentliche und kirchliche Religion tiefe Ideen von Sein und Nichtsein, von Vergänglichkeit und „dem, das ewig bleibet".

Eben damit nun hängt es zusammen . . ., daß die Idee der „Sünde", so gewiß
sie auch in Indien nicht fehlt, doch eben nie die Tiefe und Schwere erreicht,
die sie im Westen hat. „Quanti ponderis sit peccatum" – das zu ermessen ist
bei der veränderten inneren Struktur selbst der Bhakti-Religion nicht möglich
gewesen.

Nach diesen Ausführungen zieht Rudolf Otto den Schluß im Hinblick auf die Vorstellung des Heilandes, bei der er das indische Apella-
tiv für den höchsten Gott, Īshvara, „der Herr", gebraucht [27]:

Kontrastieren wir kurz (und mit der unvermeidlichen und hier nötigen Ein-
seitigkeit):
Ishvara ist ein Heiland der in Samsāra (dem Kreislauf der Wiedergeburten)
Qual-leidenden und der Heimatfremden. Der „Vater Jesu" aber ist der Hei-
land der durch Schuld zerschlagenen Herzen und der in Gott getroffenen
Gewissen.

RELIGIONSPHÄNOMENOLOGIE
ALS RELIGIONSWISSENSCHAFTLICHE DISZIPLIN

Religionsgeschichtliche Vergleiche, wie sie im vorigen Abschnitt dargestellt wurden, bilden die Grundlage jenes Zweiges der Religionswissenschaft, den wir heute *Religionsphänomenologie* nennen. Das vergleichende Verfahren, das hierbei angewendet wird, hat sich in der Religionsgeschichte bei interreligiösen Begegnungen und Auseinandersetzungen notgedrungen ergeben und ist somit uralt. Unterschiedlich waren die Intentionen der Aneignung oder Ablehnung fremden Religionsgutes und damit auch die religiösen Konsequenzen, die sich aus dem Vergleich ergaben.

Der mehr oder weniger spontane, in einer aktuellen Situation religiöser Begegnung vollzogene Vergleich wird in der Religionsphänomenologie *generell* als hermeneutisches Mittel verwandt, und er dient der *Wesenserfassung* und damit dem *Verstehen* nicht nur einzelner religiöser Erscheinungen, sondern auch ihrer Gesamtheit und damit letztlich *der* Religion als einem Begriff, dem wir sehr verschiedene historische Erscheinungsformen subsumieren. Denn „alles", so hat Nathan Söderblom einmal geschrieben, „was wir Religion nennen, bildet trotz der Unterschiede und Gegensätze eine zusammenhängende Größe, die von der Wissenschaft einheitlich bearbeitet werden muß" [28].

Als hermeneutisches Mittel steht der religionswissenschaftliche Vergleich in einem umfassenden Rahmen, der jedes Verstehen eines Fremden betrifft, das zunächst ein In-Beziehung-Setzen zu einem bereits Bekannten darstellt. Wofür wir keinerlei Vorverständnis haben, das entzieht sich unserer Möglichkeit des Begreifens als ein totaliter aliter. Die Übersetzung selbst einer einzigen Vokabel aus einer fremden Sprache wäre ohne Vergleichsmöglichkeit nicht denkbar.

Wegen ihrer vergleichenden Methode wurde die Religionsphänomenologie häufig *vergleichende Religionswissenschaft* genannt, und diese Bezeichnung ist nicht selten auf das gesamte Gebiet der Religionswissenschaft ausgedehnt worden; im englischen "Comparative Religion" hat sich dieser Sprachgebrauch bis heute erhalten. Er ist nicht unproblematisch. Denn er suggeriert nur allzu leicht die Vorstellung, im Fache der „vergleichenden Religionswissenschaft" handele es sich darum, historische Forschungsergebnisse anderer unselbständig zu übernehmen und dann lediglich miteinander zu vergleichen.

Demgegenüber ist festzustellen, daß der Vergleich, wie er von der Religionsphänomenologie vollzogen wird, im Prinzip historisch-philologische Forschungen voraussetzen muß und dies auch bei allen ernstzunehmenden Religionsphänomenologen getan hat. Doch diese Voraussetzungen allein genügen nicht, um einen Forscher zum Religionsphänomenologen zu machen, ebensowenig wie sie ihn ohne Spezialausbildung zum Rechts-, Medizin- oder Wirtschaftswissenschaftler machen [29]. Eine Sichtweise, die nicht konzentriert ist auf die *religiösen Intentionen* der in Frage stehenden Phänomene, wird deren Bezug zum Sakralen nicht genügen können. Eine heilige Schrift etwa wird sich der profanen Schau als Werk der Literatur, der Belehrung, der Geschichtsschreibung, des Rechtes darbieten, nicht aber in ihrem primären Anspruch, Offenbarungsurkunde zu sein und einen Heilsweg aufzuzeigen. Der rein künstlerische Wert eines Symbols wird erschließbar sein, aber nicht seine spezifische Bedeutung, die mit sakralen Bezügen gegeben ist. Und erst die Erkenntnis des religiösen Sinnes unterscheidet, wie bereits Chantepie de la Saussaye betont hat [30], einen Opferpriester von einem Metzger.

Die Religionsphänomenologie, die von derartigen Voraussetzungen auszugehen hat, ist eine *Teildisziplin der Religionswissenschaft,* ebenso wie dies die Religionsgeschichte, die Religionspsychologie, die Religionssoziologie und die Religionsgeographie sind. Sie ist ihrem Wesen nach eine *empirische Wissenschaft* im Unterschied zum normativen Charakter der Religionsphilosophie. Die Religionsphänomenologie fußt auf den Ergebnissen der Religionsgeschichte und ihrer Darstellung historischer Fakten. Ihre Aufgabe, wie sie Joachim Wach, einer der bedeutendsten Systematiker dieses Faches, formuliert hat, besteht darin, „abstrakte, idealtypische Begriffe zu bilden und Regelmäßigkeiten, Gesetzmäßigkeiten der Entwicklung aufzuweisen" [31].

Was Joachim Wach hiermit meinte, ist die Herausarbeitung von Kategorien wie etwa Opfer, Kult, Priestertum, Prophetismus, Sekte, Orden – Kategorien also, die in einer Vielzahl von Religionen in einer jeweils *individuellen Sondergestalt* auftreten.

Der historisch geschulte Religionsphänomenologe wird diese individuelle Sondergestalt niemals außer acht lassen. Auf sie hat Rudolf Otto eindringlich verwiesen, als er über die Religionen schrieb [32]:

Ihre generische Einheitlichkeit schließt, wie bei allen anderen Anlagen des menschlichen Geistes auch, die spezifische Sondergestaltung nicht aus, sondern ein. Und wie es in der Geschichte der Kunst das interessanteste ist, gerade die charakteristische individuelle *Sondergestaltung* des *gemeinsamen* ästhetischen Vermögens in den verschiedenen Kulturen aufzusuchen, so ist es dann in der Religionsgeschichte das noch feinere Geschäft, je zu erkennen, wie diese gemeinschaftliche Grundkraft bei aller Parallelität doch wieder im einzelnen sich individuell und unterschieden gestaltet.

Bei der Aufgabe der Religionsphänomenologie, Phänomene, die in formaler und intentioneller Hinsicht vergleichbar sind, einander zuzuordnen, ohne ihre speziellen Ausprägungen in den einzelnen Religionen zu übersehen, ist als *methodisches Erfordernis* stets zu beachten, daß der Forscher sich in die Situation des Hörenden versetzt. Das schließt keineswegs persönliche Entscheidung und subjektives Interesse aus, aber es beschränkt die Forschung auf das, was wissenschaftlich feststellbar ist. Eine beurteilende, wertende Betrachtung ist Sache der Religionsphilosophie. Der Religionsphänomenologe hat sich demgegenüber aus methodischen Gründen vorgefaßter Urteile zu enthalten. Es ist üblich geworden, diese Enthaltung von subjektiven Standpunkten mit dem griechischen Begriff der *epochē* zu bezeichnen.

Damit ist beispielsweise gemeint, daß Phänomene wie Vision, Audition, Entrückung oder Wunder wohl nach ihren religiösen Intentionen und ihrer geschichtlichen Bedeutung befragt, eingeordnet, klassifiziert werden sollen, nicht aber etwa aus der ihnen völlig unangemessenen rationalen Sicht eines naturwissenschaftlich-technischen Weltverständnisses heraus erklärt bzw. kritisiert werden dürfen. Mit anderen Worten: eine *Entmythologisierung* gehört nicht zu den legitimen Aufgaben der Religionsphänomenologie. –

Man kann, um sich einen Überblick über die Stoffülle zu verschaffen, die der Religionsphänomenologie als *Arbeitsmaterial* zur Verfügung steht, diese, wie es Friedrich Heiler in seiner Religionsphänomenologie getan hat [33], aufgliedern in die Erscheinungs-, die Vorstellungs- und die Erlebniswelt der Religion. Hierbei muß man sich nur stets dessen bewußt sein, daß diese drei Bereiche aufs engste miteinander verbunden sind und daß gerade diese enge Verbindung konstitutiv ist für Religion schlechthin.

Wählt man des Überblicks wegen diese Aufgliederung, so sind zur *Erscheinungswelt* der Religion die *Manifestationen des Sakralen* in den verschiedensten profanen Bereichen zu rechnen: im Raum und seinen Teilen, in Flüssen, Seen, Hainen, Höhlen, Bergen, die als heilige Stätten zu Orten des Übergangs zwischen Himmel und Erde werden; in der Zeit und ihren Abschnitten, die durch religiöse Feste und Feiern geheiligt werden. Als Manifestationen des Sakralen können ferner Gegenstände gelten: Steine, Bäume, Pflanzen, astrale Erscheinungen,

Götterbilder und Fetische, auch Tiere, besonders aber auch der Mensch als Priester, Mönch, Mystiker, Prophet, Sakralkönig und Gotteshüter sowie die menschliche Gemeinschaft in der Heiligung von Ehe, Familie, Sippe, Kaste und Orden.

Ferner zählen zur Erscheinüngswelt die *Realisationen des Sakralen* in den heiligen Handlungen der Reinigungsriten, des Opfers, des Gebetes, des Mysteriendramas, der Liturgie, des heiligen Wortes in Mythos, Legende, Segen und Beschwörung sowie der Kanonisierung religiöser Überlieferung in heiligen Schriften. Realisationen des Erlebnisses des heiligen Raumes finden sich besonders in der Heiligung des Hauses, der Stadt, vor allem des Tempels.

Zur *Vorstellungswelt* der Religion gehören der Gottesglaube, Offenbarung, Erlösung, Aussagen über Urzeit, Endzeit und Jenseits.

Der *Erlebniswelt* der Religion sind Glaube, Hoffnung, Liebe, Ehrfurcht zuzurechnen sowie die außerordentlichen religiösen Erlebnisformen der Inspiration, der Vision und Audition, der Ekstase und des Wunders.

ZUR DISZIPLINGESCHICHTE

Die Geschichte der Religionsphänomenologie, also jenes Zweiges der Religionsforschung, dessen Aufgabe es ist, die zitierte Stoffülle zu vergleichen und aufzugliedern, ist jüngeren Datums und daher kurz. Allerdings sind, wenn wir von der im Hinblick auf ihre prinzipiellen Stellungnahmen bereits charakterisierten Auseinandersetzung der Alten Kirche mit der sie umgebenden Religionswelt absehen, *Anfänge* phänomenologischer Betrachtung schon im *Mittelalter* festzustellen. In erster Linie ist hier Thomas von Aquino zu nennen [34]. Seine im Jahre 1264 abgeschlossene ›Summa contra gentiles‹ war durch den Konflikt der spanischen Christen mit den islamisch-maurischen Herren ihres Landes ebenso angeregt worden wie durch die islamische Form des Aristotelismus, die vornehmlich Averroës und Avicenna geprägt hatten und die damals an den europäischen Universitäten einen bedeutenden Einfluß ausübte.

Roger Bacon, ein Zeitgenosse des großen Thomas und in vielem ein Außenseiter der damaligen Theologie, drang um der religionsgeschichtlichen Erkenntnis willen auf ein Studium der Religionssprachen, und er hielt, um den Wahrheitsgehalt des Christentums als einer speziellen und übernatürlichen im Unterschied zur natürlichen Uroffenbarung zu erweisen, einen Vergleich mit anderen Religionen für notwendig.

Eine völlig andere Konsequenz zog Nikolaus von Cues in seinem 1453 erschienenen ›De pace fidei‹, dem fingierten Gespräch zwischen Vertretern verschiedener Nationen und Religionen [35]. Peter Meinhold hat sie in folgender Weise charakterisiert [36]:

Aus der Erfahrung der einander begegnenden oder sich aufhebenden Ansprüche von Judentum, Islam und Christentum, wie sie auch in der Zeit der Kreuzzüge dem Abendland ganz neu vermittelt worden ist, hat sich bei ihm die Frage nach Einheit und Verschiedenheit der Religionen ergeben. Er sucht die Lösung des Problems in der Feststellung, daß die Gottesverehrung in den verschiedenen Religionen im Kern, d. h. in der Sache, übereinkommt wegen der Umfassendheit der Gottesvorstellung, die allen Religionen zugrunde liegt, daß diese aber eine große Vielfalt in ihren „Riten" aufweisen, die sie jedoch als solche zu dulden haben.

Das Zeitalter der *Reformation* war in einem stärkeren Maße, als

dies vielleicht in das Allgemeinbewußtsein eingedrungen ist, an einer
phänomenologischen Erfassung der Religionen interessiert. Luther
kannte die Religionen der Antike, und sein Interesse für den Islam
ging so weit, daß er sich um eine Edition des Korans, der Offenbarungsurkunde des Propheten Mohammed, bemühte [37].

Die Mißbräuche der kirchlichen Praxis seiner Zeit hat Luther in
systematischer Weise in einen religionsgeschichtlichen Zusammenhang
gestellt. In seiner Religionskritik, die er vornehmlich im Kommentar
zum Römerbrief und im Großen Katechismus anläßlich der Aus-
legung des ersten Gebotes zum Ausdruck brachte, faßte er „Heiden",
„Juden" und „Türken" als einheitliche Größe zusammen. Mit dem
heidnischen Polytheismus stellte er die katholische Heiligenverehrung
auf eine Stufe, da man mit ihr „die Heiligen zu Göttern" gemacht
habe [38].

Auch Melanchthon nimmt eine Zweiteilung vor. Ihm dient das
menschliche Gewissen als Kriterium für eine typologische Aufgliederung der Religionen. Dabei unterscheidet er zwischen der Gruppe des
befriedeten und des unbefriedeten Gewissens. Letzteres ordnet er den
natürlichen Anlagen des Menschen und seiner vernunftmäßigen Erkenntnis sittlicher Prinzipien zu. Die Sünde als Verstoß hiergegen
begründet für Melanchthon die Notwendigkeit der göttlichen Offenbarung, die das menschliche Gewissen durch Christus zur inneren Ruhe
führt [39].

Das Zeitalter der *Aufklärung* hat völlig neue Ansätze zu einer
phänomenologischen Betrachtung der Religionen entwickelt, und es
hat ganz andersartige Lösungsversuche erstrebt. Sie sind, aufs Ganze
gesehen, dadurch gekennzeichnet, daß spezifisch christliche Anliegen
nicht mehr das Zentrum der Überlegungen bilden. Missionarische In-
teressen, polemische Auseinandersetzungen mit den mittelalterlichen
Umweltreligionen des Christentums und auch konfessionelle, der Religionsgeschichte eingeordnete Differenzen treten jetzt ganz in den Hintergrund.

Carl Heinz Ratschow hat die neue Situation in folgender Weise
gekennzeichnet [40]:

Die Aufklärung kennt das Problem der Religionen nur als die Frage nach der
natürlichen Religion. Immer grundsätzlicher wird das Entwicklungsschema
angewendet. Lessings ›Erziehung des Menschengeschlechtes‹ zeigt sehr deutlich, wie man sich aufklärerisch eine aufsteigende Linie von den Religionen
zum Christentum denkt. Die natürliche Religion ist der Vernunft erschlossen.
Sie bewegt sich in der Einsicht vernünftiger Wesen in die Zweckmäßigkeit
und Sinnhaftigkeit, in die Schönheit und Größe der Welt und ihrer Gesetze.

Es verlohnt sich, beiden Themenkreisen, die mit diesen Ausführungen angesprochen sind, nachzugehen: der natürlichen Religion und der Sicht der Religionsgeschichte unter Verwendung evolutionistischer Schemata.

Der Begriff der *natürlichen Religion*, bekanntlich von Schleiermacher als „übel zusammengenähte Bruchstücke von Metaphysik und Moral" kritisiert, bezieht sich durchaus nicht etwa auf die Religionen der Naturvölker. Er bildet vielmehr den Gegensatz zu dem Begriff der traditionellen, historischen oder „positiven" Religion. Zugrunde liegt ihm das Bemühen, von den geschichtlichen Erscheinungen der Religionen das Wesentliche zu abstrahieren, das dann als Norm für das zu gelten habe, was als Religion ohne dogmatischen Überbau anzusehen sei. Damit behauptet die Aufklärung eine Gleichheit aller Religionen und interpretiert ihre tatsächlichen Unterschiede als Ergebnis historischer Entwicklungen.

Während die Konzeption der „natürlichen Religion" für die heutige Religionswissenschaft nur noch disziplingeschichtliche Bedeutung besitzt, hat der *Evolutionismus*, insbesondere seitens der Ethnosoziologie, langanhaltend und hartnäckig der Religionsgeschichte Schemata zu oktroyieren versucht, in denen sich die Tendenz äußerte, die Religion natürlich erklären und damit doch letztlich als Religion überwinden zu wollen [41].

Das evolutionistische Denken, das verschiedenen Religionstheorien zugrunde liegt, läßt den Einfluß der positivistischen Religionskritik Auguste Comtes sowie die Übertragung der naturwissenschaftlichen Ansichten Darwins auf die Geistesgeschichte erkennen und geht letztlich zurück auf die Theorien von Herbert Spencer [42]. Seine Anwendung auf die Religionsgeschichte erfolgte unter der unbewiesenen und unbeweisbaren Voraussetzung, die gegenwärtige Religion der heute auf primitivster Stufe stehenden Völker könne der Urreligion der Menschheit verglichen und mit ihr gleichgesetzt werden.

Theoretische Grundlage und methodischer Ausgangspunkt sind allen evolutionistischen Religionstheorien gemein; sie trennen sich jedoch in der Beantwortung der Frage, welche Größe es gewesen sei, die die frühesten Glaubensformen bestimmt habe.

Der Oxforder Anthropologe Edward B. Tylor ging mit seinem Versuch einer Analyse frühester Erfahrungen im Schlaf, dem Traum und der Krankheit psychologisch vor und behauptete, die Erkenntnis der *anima*, der „Seele", sei die erste religiöse Erfahrung der Urmenschheit. Sie stehe zunächst isoliert da, und erst später habe sich aus ihr der Glaube an Geister und schließlich derjenige an Götter entwickelt. Seine

These bezeichnete Tylor mit "animism" [43]. Dieser *Animismus* ist von
Wilhelm Wundt fortgeführt worden [44], und er wurde zuletzt von Rafael Karsten vertreten [45].

Als eine Spielart des Animismus kann der *Dämonismus* oder *Poly-
dämonismus* verstanden werden. Bei ihm handelt es sich um die Theorie, der Polytheismus als Glaube an eine Vielheit individuell profilierter
Gottheiten habe sich entwickelt aus der Vorstellung von einer Vielzahl
unheimlicher Geister, und zwar solcher, deren einzelne Gestalten meist
wenig scharf umrissen sind, die vielmehr kollektiv als unheimliche
Gespenster, Natur- und Totengeister, Trolle, Elfen, arabische Dschinn
oder auch in monströsen Mischformen auftreten und die Menschen ver-
führen sowie Krankheit, Wahnsinn oder Tod bewirken.

Gegenströmungen, die frühzeitig diesen Theorien widersprachen,
werden mit *Präanimismus* bezeichnet, weil es ihr Anliegen war, religiöse Komponenten herauszustellen, deren Erfahrung zeitlich vor dem
Erlebnis der Seele oder der Geister gestanden haben soll.

Unter den präanimistischen Theorien hat vor allem diejenige Bedeutung gewonnen, die die Erfahrung der „Macht" als primäres religiöses
Erlebnis herauszuarbeiten und von ihr aus in einem ebenfalls evolutionistischen Sinne die weitere Entwicklung der Religion abzuleiten
versuchte. Dieser Machtglaube oder *Dynamismus* wird häufig durch
Termini charakterisiert, die in Eingeborenensprachen den Begriff der
Macht ausdrücken. Am gebräuchlichsten ist das melanesische *mana*, ein
Wort, das „das außerordentlich Wirkungsvolle" bezeichnet. Verwendet
werden außerdem aus dem Irokesischen *orenda*, aus dem Sioux *wa-
kanda* und aus dem Madagassischen *hasina*. Während diese Begriffe
den für den Menschen positiven Aspekt der Macht zum Ausdruck bringen, wird der gefahrvolle, mit dem sich Meidungsgebote verbinden,
durch das polynesische Wort *tabu* gekennzeichnet. Es entstammt dem
Tongadialekt der Freundschaftsinseln und setzt sich zusammen aus *ta*,
„gemerkt", und dem Suffix *bu*, mit dem die Intensität ausgedrückt
wird.

Die Theorie des Dynamismus war angeregt worden durch Beobach-
tungen, die der englische Melanesien-Missionar Codrington 1877 dem
Oxforder Indologen und Religionswissenschaftler Friedrich Max Müller brieflich mitgeteilt hatte und die dieser im folgenden Jahr veröffentlichte [46]. Der Oxforder Anthropologe Marett hat dann diese
These von einer undifferenzierten Macht oder Lebenskraft, die er mit
Animatismus bezeichnete, entscheidend propagiert [47], obwohl sie bereits
vorher von Codrington selbst bedeutend eingeschränkt worden war,
als er darauf verwiesen hatte, daß „diese Kraft, wenn auch an sich

unpersönlich, immer an eine Person geheftet ist" [48]. Damit war bereits auf den attributiven Charakter des Wortes *mana* verwiesen, auf sein Verständnis in einem appositionellen Sinn, der eine Qualität sakraler Personen kennzeichnet und damit eben keine selbständige Größe darstellt, die evolutionistische Konstruktionen einer späteren Entstehung der Götter aus ihr zuließe [49].

Beiden Theorien, der dämonistischen wie auch der dynamistischen, kann in gewisser Weise der *Fetischismus* zugeordnet werden, ein Begriff, der von dem Franzosen Charles de Brosses in den wissenschaftlichen Sprachgebrauch eingeführt wurde [50]. Zugrunde liegt das portugiesische Wort *feitiço*, das „künstlich, falsch" und auch „Zauber" bedeutet und von den Portugiesen zunächst speziell für westafrikanische Götterbilder und dann generell zur abwertenden Kennzeichnung niederen Heidentums verwendet wurde. Charles de Brosses, der im Fetischismus die Urform aller Religion zu erkennen glaubte, verlieh dem Begriff einen spezifischen, bis heute gültigen Sinn. Danach ist Fetischismus der Glaube an einen machtgeladenen Gegenstand. Wenn es sich dabei um Objekte wie Steine, Hölzer, Knochen oder aus Lehm geformte Figuren handelt, in die Geister gebannt worden sind, so liegen dämonistische Vorstellungen zugrunde und man kann von einem *dämonistischen Fetischismus* sprechen. Demgegenüber liegt ein *dynamistischer Fetischismus* vor, wenn in ein sogenanntes „heiliges Bündel" Ingredienzien eingeführt werden, die von sich aus für machthaltig gelten. Diese Unterscheidung, die an sich brauchbar ist, besteht unabhängig von dem Alter dieser Vorstellungen und von dem Versuch, sie als Urform der Religion zu werten.

Erwähnung verdient auf jeden Fall noch ›Der Goldene Zweig‹, das Riesenwerk des britischen Ethnologen Sir James G. Frazer [51], das als ein Musterbeispiel dafür gelten kann, was Evolutionisten unter vergleichender Methode verstanden. Mit einer Überfülle von Material, das seine Theorie stützen sollte, wollte Frazer die *Magie* als Vorstufe der Religion erweisen. Für ihn befand sich der Mensch im Stadium seiner Kindheit in einer magischen Phase; das Zeitalter der Magie ging dem der Religion voraus.

Diese wie alle anderen evolutionistischen Theorien beruhen auf dem religionsgeschichtlichen Vergleich, aber dem Vergleich mit einer unbekannten Größe. Man vergleicht erfaßbare, wissenschaftlich feststellbare religiöse Erscheinungen, die sich in primitiven Kulturen der Gegenwart oder einer noch erreichbaren, relativ jungen Vergangenheit nachweisen lassen, mit den Anfängen und Ursprüngen der Religion, die eigentlich erst zu erschließen sind, deren enge Verwandtschaft zu neuzeitlichen Phänomenen jedoch als unreflektiertes Postulat gilt.

Dabei werden Begriffe wie „Anfang" und „Ursprung" oft in einer schillernden Weise verwendet, nämlich bald in psychologischer Sicht auf das Erwachen von Religion im einzelnen Menschen bezogen, bald im historischen Verständnis als Beginn der menschlichen Religionsgeschichte gemeint.

Ferner liegt ein Fehlschluß vor, wenn man annimmt, eine „Entwicklung" der Religion sei möglich aus einer Angelegenheit heraus, die diese sich entwickelnde und entfaltende Religion im Prinzip noch nicht enthalten habe. Geo Widengren, der die evolutionistischen Theorien in der Religionswissenschaft am umfassendsten kritisiert hat, schrieb hierzu [52]:

Eine Sache kann nicht aus einer anderen entwickelt sein, ohne im Prinzip darin enthalten zu sein, aber dann kann man nicht sagen, daß die Sache, aus der jene entwickelt wurde, „eine andere" sei, sondern sie ist im Kern dieselbe. Aus diesem Grunde kann Religion nicht aus der Magie entwickelt sein, wenn man die Magie als wesensverschieden von ihr ansieht, und auch nicht aus einer unpersönlichen Kraft vorreligiöser Art, und so kann auch Heiligkeit nicht aus irgend etwas Ähnlichem wie dem Mana in seiner angeblichen universellen und dynamistischen Art hergeleitet werden.

Unter den religionswissenschaftlichen Schulen, die den Vergleich in den Mittelpunkt ihrer Arbeit stellten, hat in den ersten beiden Jahrzehnten des 20. Jahrhunderts eine im wesentlichen von der Universität Göttingen ausgehende Richtung beträchtlichen Einfluß ausgeübt und damals ganz zweifellos eine Blüte der deutschen Religionswissenschaft hervorgerufen. Nach einer 1904 von Alfred Jeremias vorgeschlagenen Bezeichnung, die wenige Jahre später Wilhelm Bousset aufnahm [53], ist diese Forschungsrichtung unter dem Namen der *religionsgeschichtlichen Schule* bekanntgeworden [54]. Bedeutende Alt- und Neutestamentler, aber auch Vertreter anderer Fachrichtungen, insbesondere der Klassischen Philologie, zählten zu ihren Vertretern. Die Voraussetzung für die Arbeit der religionsgeschichtlichen Schule bestand in einer beträchtlichen Erweiterung historischer Kenntnisse, vor allem auf dem Gebiet der altorientalischen Religionen. Damit waren wichtige Bedingungen für die Durchführung des Programms der religionsgeschichtlichen Schule gegeben, nämlich das Wesen des Christentums durch Vergleiche mit seiner religiösen Umwelt neu zu bestimmen. Daß hierbei nur allzu oft aus scheinbaren Ähnlichkeiten auf Verwandtschaften und historische Zusammenhänge geschlossen wurde, gehörte zu den bedenklichen Einseitigkeiten dieser Schule.

Sie sind in einer ihr eng verwandten Richtung, dem *Panbaby-lonismus*, am extremsten in Erscheinung getreten [55]. Übersteigerte Entdeckerfreude hatte einzelne Assyriologen zu der inzwischen längst überholten Hypothese geführt, das astrale Weltbild der sumerisch-babylonischen Religion habe alle späteren Kulturen und Religionen und insbesondere die des Alten Testaments entscheidend geprägt. Diese panbabylonistische Einstellung führte zu dem *Babel-Bibel-Streit*, den Friedrich Delitzsch im Jahre 1902 mit dem ersten seiner Vorträge über ›Babel und Bibel‹ ausgelöst hatte.

Die Einwände, die gegen das methodische Verfahren des Panbaby-lonismus und der religionsgeschichtlichen Schule zu erheben sind, hat Walter Baetke in folgender Weise zusammengefaßt und demonstriert [56]:

... die vermeintlichen Parallelen zwischen biblischen und außerbiblischen, insbesondere orientalischen Zeugnissen und Urkunden, auf Grund deren sie (die religionsgeschichtliche Schule) auf Abhängigkeiten der alttestamentlichen Religion und des Christentums von fremden Religionen schloß, verkannten in den meisten Fällen die Eigenart der verglichenen Phänomene. So ist – um dies nur an zwei Beispielen zu erläutern – der biblische Schöpfungsbericht dem babylonischen zwar in einigen Stücken ähnlich, in allem wesentlichen jedoch: der Gottesvorstellung, dem Schöpfungsbegriff, überhaupt dem ganzen Geist und religiösen Gehalten nach, ist er von ihm grundverschieden. Zwischen dem christlichen Abendmahl und den Kulten gewisser orientalisch-hellenistischer Mysterienreligionen mögen sich in den äußeren Formen einige Übereinstimmungen feststellen lassen; aber ein Vergleich zwischen den Zeugnissen über jene Geheimkulte ... und den Berichten über die Einsetzung des Abendmahls zeigt ohne weiteres die tiefe Kluft, die diese Vorgänge trennt und die es gar nicht gestattet, das christliche Abendmahl unter den religionsgeschichtlichen Begriff des „Mysterienkultes" zu subsumieren. –

Die bislang skizzierten religionsgeschichtlichen Vergleiche können als *Vorstufen* einer phänomenologischen Betrachtung der Religionen angesehen werden. Sie beziehen sich meist auf einzelne, ausgewählte Phänomene oder auch auf die Gesamtwertung einer Religion, nicht aber auf die systematische Erfassung der Fülle aller einzelnen Erscheinungsformen. Dem Erfordernis einer neutralen Darstellung steht oft die Absicht entgegen, eine bestimmte These zu verifizieren.

Demgegenüber beginnt die *Religionsphänomenologie als eigenständige Teildisziplin der Religionsforschung* mit dem niederländischen Religionshistoriker Pierre Daniël Chantepie de la Saussaye, der zunächst in Amsterdam und dann in Leiden wirkte und als Spezialist auf dem Gebiet der germanischen Religionsgeschichte hervorgetreten war. Gerardus van der Leeuw, der den neuen Wissenschaftszweig der

Religionsphänomenologie später selbst so entscheidend förderte, schrieb 1933 in der ersten Auflage seiner eigenen ›Phänomenologie der Religion‹ [57]:

Die Religionsgeschichte ist eine junge Wissenschaft, ihre Phänomenologie befindet sich noch ganz im Kindesalter. Bewußt getrieben wird sie erst seit Chantepie.

Chantepie de la Saussaye hatte 1887 in der ersten Auflage seines ›Lehrbuchs der Religionsgeschichte‹ erstmals den Versuch unternommen, umfassend, wie er schrieb, „die Hauptgruppen der religiösen Erscheinungen, ohne sie doktrinär einheitlich zu erklären, so zu ordnen, daß die wichtigsten Seiten und Gesichtspunkte aus dem Material selbst hervortreten".

Dieser phänomenologische Abschnitt seines Lehrbuchs fehlte jedoch in den folgenden zwei Auflagen und wurde erst 1925 in die vierte, von Alfred Bertholet und Edvard Lehmann herausgegebene Auflage wiederaufgenommen, in der er unter dem Titel ›Erscheinungs- und Ideenwelt der Religion‹ in einer Neubearbeitung durch den dänischen, in Berlin und Lund wirkenden Religionswissenschaftler Edvard Lehmann erschien [58].

Die zögernde, durch zwei Auflagen unterbrochene Berücksichtigung des Gegenstandes läßt deutlich erkennen, daß der junge Wissenschaftszweig zunächst keine allgemeine Anerkennung fand. Zum entscheidenden Durchbruch verhalf ihm erst Gerardus van der Leeuw.

G. van der Leeuw, der Professor für Religionsgeschichte und Ägyptologie an der Universität Groningen, zeitweise auch niederländischer Kultusminister war [59], ist mit der großen Anzahl seiner wissenschaftlichen Arbeiten nicht allein auf religionsgeschichtlichem und ägyptologischem Gebiet hervorgetreten, sondern auch in den verschiedenen Bereichen der Theologie, der Kultur- und Musikgeschichte [60]. Sein Hauptwerk, das bahnbrechend war für die Anerkennung der Religionsphänomenologie als eines selbständigen Zweiges der Religionswissenschaft, ist die große ›Phänomenologie der Religion‹, die 1933 erstmals in deutscher Sprache erschien, mehrere Neubearbeitungen und Ausgaben in anderen Sprachen erfuhr und jetzt auf deutsch in der 4. Auflage vorliegt [61]. Ihr war bereits 1924 eine von van der Leeuw zunächst in niederländischer Sprache publizierte ›Einführung in die Religionsphänomenologie‹ vorausgegangen [62].

Bereits in dieser ›Einführung‹ hatte van der Leeuw das wissenschaftliche Programm seiner phänomenologischen Arbeit deutlich ausgesprochen [63]:

Die Phänomenologie sucht zwischen dem objektiven Tatbestand und der subjektiven Wertung ein drittes: die Bedeutung, den Sinn der Erscheinungen aufzuspüren.

Daß es van der Leeuw hierbei um das „Verstehen" im Sinne der Philosophie Wilhelm Diltheys geht, ist oft und vielleicht etwas zu einseitig hervorgehoben worden; denn zum Verstehen religiöser Phänomene zu führen, ist schließlich das Anliegen auch jeder anderen Religionsphänomenologie.

Wenn van der Leeuw den Machtglauben an den Anfang seiner Untersuchungen stellt, so zeigt bereits diese Anordnung, daß seine Sichtweise nicht frei ist von evolutionistischen Theorien. Außerdem ist mit Recht von Geo Widengren hervorgehoben worden, „daß van der Leeuw eine bemerkenswerte Einseitigkeit in der Auswahl seines Materials zeigte, indem er die Religionen schriftloser Völker unverhältnismäßig stark, mehr, als es ihrer wahren Bedeutung entsprochen hätte, heranzog" [64].

Derartige Einwände wollen und sollen natürlich die bleibenden Verdienste van der Leeuws in keiner Weise mindern. Er hat zweifellos mit seinem Werk der Religionsphänomenologie eine feste Stellung innerhalb der Religionswissenschaft verschafft. Daß allerdings gerade seine Darlegungen in den Kreisen solcher Orientalisten, bei denen, wie er selbst einmal kritisch gesagt hat, „eine energische Erforschung der religiösen Tatsachen fast durchgehend mit einer völligen Indifferenz anderen religiösen Tatsachen gegenüber verbunden war" [65], – daß gerade in diesen Kreisen seine ›Phänomenologie‹ einen nahezu begeisterten Anklang finden konnte, das scheint ein unlösbares Rätsel zu bleiben.

G. van der Leeuw hat keine eigentlichen Nachfolger gefunden; am ehesten sind ihm vielleicht, trotz aller Eigenständigkeit, noch die leider nur in niederländischer Sprache erschienenen religionsphänomenologischen Arbeiten von C. Jouco Bleeker zuzuordnen [66]. Andere Religionsphänomenologen haben neue Wege beschritten.

Versucht man, die wichtigsten phänomenologischen Entwürfe in chronologischer Reihenfolge zu skizzieren, so sollte man das Werk von Jacob Wilhelm Hauer nicht stillschweigend übergehen. Es erschien bereits 1923, also noch vor den Arbeiten van der Leeuws, und es erzielte nicht deren Breitenwirkung. Der Titel ist: ›Die Religionen, ihr Sinn, ihre Wahrheit. Erstes Buch: Das religiöse Erlebnis auf den unteren Stufen‹ [67]. Das Buch stellt eine wahre Fundgrube eines vielschichtigen, leider nicht immer genügend sorgfältig bibliographierten Materials aus den Religionen vornehmlich der schriftlosen Völker dar, und es bewährt sich zur Einführung in die für die Erfassung dieser Reli-

gionen wesentlichen Begriffe. Von Nachteil war es, daß nur das erste
Buch erschien und sich der Verfasser später literarischen Publika-
tionen widmete, die ihm zu einem guten Teil wenig Ruhm eingetra-
gen haben.

Im Jahre 1938 erschien unter dem Titel ›Comparative Religion‹ die
Phänomenologie des Londoner Religionswissenschaftlers Edwin Oliver
James [68], die sich durch die Erfassung einer großen Variationsbreite
typischer Elemente der Religion, vor allem auch solcher des Frömmigkeitslebens, auszeichnet. Eindringlich betont wird der Gedanke, daß
die Religion die geistige Kraft zum Zusammenhalt der menschlichen
Gesellschaft bietet.

Eine bemerkenswert starke und langanhaltende Beachtung fand eine
Art Phänomenologie, die der rumänische, jetzt in Chicago wirkende
Religionswissenschaftler Mircea Eliade 1949 zunächst in französischer
Sprache unter dem etwas irreführenden Titel ›Traité d'histoire des
religions‹ veröffentlichte [69]. Eine vollständige Übersetzung ins Deutsche
erschien 1954; sie trägt den Titel ›Die Religionen und das Heilige.
Elemente der Religionsgeschichte‹ [70]. Eine Kurzfassung, ›Das Heilige
und das Profane‹ benannt [71], liegt als Taschenbuch vor.

Es ist zweifellos schwierig, dem Werk Eliades gerecht zu werden.
Niemand wird bestreiten, daß seine Herausstellung der verschiedenen
Formen der „Hierophanie", wie er sagt, also der Erscheinungen des
Heiligen, bedeutende Anregungen vermittelt. Das Belegmaterial hierzu zeigt eine etwas einseitige Bevorzugung der Religionen schriftloser
Völker sowie der indischen Religionsgeschichte. Die ahistorische, stark
psychologisierende Betrachtungsweise ist nicht frei von den Gefahren,
die der Symbolforschung oft eigen sind, und sie mahnt in jedem Fall
zur historischen Überprüfung ihrer Deutungsversuche.

Auf den Torso einer Phänomenologie kann nur kurz verwiesen werden: es handelt sich um nachgelassene, im Manuskript unvollendete
Baseler Vorlesungen von Alfred Bertholet, die Johannes Hempel 1953
unter dem Titel ›Grundformen der Erscheinungswelt der Gottesverehrung‹ herausgab [72]. Der für die Anlage dieser Arbeit charakteristische
Ausgangspunkt ist, wie bei van der Leeuw, der Machtgedanke oder,
präziser formuliert, das menschliche Erleben überlegener Macht.

Im gleichen Jahr – 1953 – erschien die deutsche Übersetzung von
›Religion und Kultus‹, der Phänomenologie des Osloer Alttestament-
lers Sigmund Mowinckel [73], deren norwegisches Original bereits seit
1950 vorlag [74]. Der Titel dieses Werkes, das vornehmlich auf Belegen
aus der Welt des Alten Orients und des Alten Testaments beruht, läßt
deutlich den Schwerpunkt der Darstellung erkennen, der auf der ge-

meinschaftlichen Begehung festgesetzter Riten, auf dem Kult und dem kultischen Drama liegt.

Das äußerst umfangreiche Manuskript nachgelassener Vorlesungen von W. Brede Kristensen, des niederländischen Religionshistorikers norwegischer Herkunft, wurde 1960 posthum in einer englischen Übersetzung veröffentlicht, die den Titel trug ›The Meaning of Religion. Lectures in the Phenomenology of Religion‹ [75]. Das Werk gründet sich vornehmlich auf jene Quellen, deren meisterhafter Kenner der Autor war, nämlich auf die antiken Religionen. Kosmologie, Anthropologie und Kultus sind die Einteilungsprinzipien der Darstellung.

Unter dem Titel ›Die Formenwelt des Religiösen. Grundriß der systematischen Religionswissenschaft‹ veröffentlichte Kurt Goldammer im Jahre 1960 eine Phänomenologie [76], deren Schwerpunkte auf der Wesenserfassung von Religion und Frömmigkeit liegen. Der „sparsame Umgang mit dem historischen Material", zu dem sich der Verfasser bekennt [77], unterstreicht den vorwiegend systematischen Charakter der Darstellung.

Die Phänomenologie von Friedrich Heiler hat eine recht lange Geschichte. Über das Thema ›Erscheinungsformen und Wesen der Religion‹, unter dem das große Werk 1961 erschien [78], hatte Heiler bereits in den dreißiger Jahren an der Universität Marburg Vorlesungen gehalten, die in Anlage und Inhalt mit seinem späteren Buche, dessen Bibliographie er in den dazwischenliegenden Jahren ständig und aufs sorgsamste ergänzte, durchaus übereinstimmten. Es ist unbekannt, warum er das Werk nicht früher veröffentlichte; vielleicht war die beherrschende Stellung, die die Phänomenologie van der Leeuws für lange Zeit einnahm, der Grund. Als dann Heilers Werk erschien, hat es leider nicht mehr die ihm gebührende Beachtung gefunden. Es ist nicht nur eine Fundgrube religionsgeschichtlichen Wissens, die sich in vorzüglichster Weise als Arbeitsbuch eignet, sondern es geht auch neue Wege mit dem Versuch, sukzessive zum innersten Wesen, zum Mysterium des Religiösen vorzudringen.

Geo Widengren hatte 1945 das für schwedische Studenten bestimmte religionsphänomenologische Lehrbuch ›Religionens värld‹ veröffentlicht [79]. Eine zweite Auflage dieses Buches erschien 1953. Aus ihr ist die in deutscher Sprache verfaßte und ganz wesentlich erweiterte ›Religionsphänomenologie‹ des Jahres 1969 hervorgegangen [80]. Sie verbindet in einer idealen Weise die philologisch-historische mit der systematischen Forschung; denn das reiche Belegmaterial, das dieses Buch bietet, beruht zu einem guten Teil auf eigenen Forschungen des Verfassers.

Man kann dieses Werk nicht besser charakterisieren als mit der auszugsweisen Wiedergabe von Worten einer Rezension, die C. J. Bleeker schrieb [81]:

Die Erscheinung dieses magnum opus bedeutet einen Meilenstein in der Geschichte der Disziplin ... Natürlich liegen dem Werke die vielen Monographien, die Widengren im Laufe der Zeit veröffentlicht hat, zugrunde. Dies bedeutet, daß diese Religionsphänomenologie ihre Materie nicht in erster Linie aus dem Studium anderer Gelehrten bezieht, sondern fast gänzlich auf den eigenen historischen und philologischen Forschungen des Verfassers beruht. Das läßt Widengren so stark in seinen Auseinandersetzungen sein. Bis in die Noten spürt man, daß er die verschiedenen religionshistorischen Standpunkte studiert hat und sie im Griff hat.

Gegen Schluß seiner Besprechung kommt Bleeker zu der Feststellung:

Meine Generation hat sich um die Religionsphänomenologie bemüht und besitzt wohl nicht mehr die Phantasie und Schaffenskraft, um nach Widengrens Religionsphänomenologie noch etwas Neues zu schaffen.

Bei den bislang zitierten und kurz charakterisierten Phänomenologien wurden in bevorzugter Weise Werke genannt, von denen Ausgaben in deutscher Sprache existieren. Erwähnung verdient aber auch die nur auf Holländisch vorliegende Arbeit von K. A. H. Hidding ›Mens en godsdienst‹ [82], ferner die schwedischen Bücher von Helmer Ringgren ›Religionens form och funktion‹ [83] und von Olof Petersson ›Tro och rit‹ [84]. –

Die religionsphänomenologische Arbeit findet ihren literarischen Niederschlag nicht allein in Werken, die, wenn auch mit Betonung gewisser Schwerpunkte, so doch die Vielfalt und Fülle religionsgeschichtlicher Erscheinungen zusammenzufassen, systematisch zu ordnen und in ihrem Wesen zu erfassen suchen. Von erheblicher Bedeutung für den Fortschritt der religionsphänomenologischen Forschung sind vielmehr auch solche Arbeiten, die einzelne religiöse Phänomene monographisch behandeln. Auf sie wird später öfters zu verweisen sein.

Hier sollen vorerst nur drei Werke genannt werden, die nicht allein exemplarisch sind für derartige Studien, sondern auch über den engen Kreis der Fachwissenschaft hinaus Beachtung fanden und Bedeutung erlangten. Hierzu zählt, wenn man chronologisch vorgeht, an erster Stelle das Buch über ›Das Heilige‹ von Rudolf Otto. Es erschien erstmals 1917 und hat seitdem dreißig Auflagen erlebt [85]. Die zweifellos geniale Schau, mit der Rudolf Otto die religiöse Kategorie „heilig" herausstellte, hat einerseits begeisterte Zustimmung gefunden, anderer-

seits haben die vorwiegend religionspsychologische Orientierung und
das Bestreben, „das Heilige minus seines sittlichen Momentes" darzustellen, zu lebhaften Auseinandersetzungen und auch zu entschiedener
Ablehnung geführt.

Friedrich Heiler legte in seinem Erstlingswerk über ›Das Gebet‹ [86],
der vielbeachteten und wohl umfangreichsten religionswissenschaftlichen Dissertation, die je geschrieben wurde, eine phänomenologische
Erfassung einerseits des Gebets vor, andererseits aber zugleich der
Unterscheidungsmerkmale zwischen mystischer und prophetischer Religiosität.

Nathan Söderblom, dessen Name durch seine ökumenische Tätigkeit
als Erzbischof von Uppsala berühmt wurde, ist als Gelehrter einer der
großen Anreger der neueren Religionswissenschaft gewesen. Sein be-
kanntestes Werk ist ›Das Werden des Gottesglaubens‹ [87], eine Untersuchung über Wurzeln und unterschiedliche Ausprägungen der Gottesidee.

METHODENPROBLEME

Eine Methode ist, was das griechische Etymon *méthodos* aussagt, ein Weg zur Erreichung eines Zieles, die Verfahrensweise einer Untersuchung, mithin ein Mittel, das nicht Selbstzweck sein darf, aber beachtet werden muß, wenn es sich als Hilfe zur Erlangung gesicherter Ergebnisse bewährt hat.

Das gilt, wenn es sich um die Erfassung religiöser Phänomene handelt, zunächst für die bereits zitierte *epochē*, die bewußte Zurückhaltung subjektiver Meinungen, die absichtliche Abstandnahme von Wertungen. Bleeker hat hierüber das Folgende ausgeführt [88]:

Epoche bedeutet Ausklammerung des Urteilens. Wenn man die Epoche anwendet, versetzt man sich in die Lage eines Zuhörers, der nicht nach vorgefaßten Begriffen urteilt. Diese Haltung ist die Voraussetzung für das eidetische Erfassen, also für den Einblick in die Wesenszüge religiöser Phänomene.

Auf Erfordernisse und Probleme dieses Programms ist kurz einzugehen.

Im Zusammenhang einer Erörterung über Hochgötter in Religionen schriftloser Kulturen schrieb Nathan Söderblom [89]:

Die Missionare erzählen uns schon seit langer Zeit davon. Sie kannten die Stämme und ihre Sprache besser als die Reisenden. Aber sie hatten das Buch der Genesis bei sich. Waren sie vielleicht nicht zu geneigt, den Gott der Bibel in die Vorstellungen der Heiden hineinzulesen?

Es dürfte deutlich sein, daß das, was hier als kritische Frage erhoben wird, nicht ein persönliches Bekenntnis, sondern die wissenschaftliche Haltung des Beobachters betrifft. Und diese kann, wenn sie nicht auf dem Boden der *epochē* steht, das Fremde nur allzu leicht mit Eigenem identifizieren oder – und das findet sich als Resultat der gleichen unkritischen Einstellung ebenfalls nur allzu oft – sie kann das Fremde vorschnell dämonisieren.

Nicht minder bedenklich ist der extreme Gegensatz zu dieser Haltung. Er besteht in der intentionellen Eliminierung des eigenen geistigen Erbes und dem willentlichen Hineindrängen in die fremde, geheimnisvolle Welt, also in jenem „Exotismus", für den es markante Beispiele aus den Reihen der Orientalisten gibt. Joachim Wach hat diesen Exotismus so charakterisiert [90]:

Man ist vom Eigenleben und der Autonomie fremder Völker-Kultur-Religions-Individualitäten so fest durchdrungen, daß man meint, hier helfe nur eins, wenn man wirklich eindringen wolle mit seinem Verständnis und seinem Erkenntnisdrang: man müsse werden wie der und das, die man erkennen will. Man müsse sein Ich auslöschen, man müsse wirklich Buddhist, Konfuzianer und Moslem werden. Hier wird also mit dem Abbau in einer Weise ernst gemacht, daß es fast scheint, als solle er gar nichts mehr übriglassen. Das Objekt will das Subjekt vollständig verschlingen.

Joachim Wach hat im gleichen Zusammenhang auf die Gefahren und methodischen Unzulänglichkeiten dieses Irrweges hingewiesen [91]:

... wenn man einmal zwei „Pseudo-Konfuzianer" konfrontiert, so erlebt man die seltsamsten Dinge ... Wir sehen, daß der Weg der Einfühlung bis zur Selbsthingabe, weit entfernt, uns eine zuverlässige und klare Erkenntnis zu vermitteln, äußerst gefährlich und durchaus unkontrollierbar ist. „Abbau" im Sinne der kritischen Besinnung meint nicht Selbstauslöschung, sondern *Reduktion* auf das wesenhafte wahre Sein. Nur wenn ich ganz ich selbst bin, kann ich das Fremde verstehen, verstehen, wie nur *ich* es verstehen kann (wie allgemeingültig ich immer meine Erkenntnisse formulieren mag), nur wenn ich zu ihm mit allen Zügen, die mein Wesen ausmachen, mich stelle, nur wenn ich ganz ich selbst bin, bin ich imstande, in mir ein Bild der fremden Erscheinung entstehen zu lassen. Denn es handelt sich dabei eben dann nicht um subjektive Impressionen, sondern um *die gültige Formulierung meiner Schau.*

Die beiden extremen Haltungen, die bisher beschrieben wurden, stimmen allerdings überein in der einen Überzeugung, daß Religion *als Religion* ernst zu nehmen, zu erfassen und darzustellen sei. Das ist jedoch nicht der Fall bei der modernen Hypothese, die konstitutiven Elemente religiöser Phänomene seien als Projektionen sozialer Erfahrungen zu verstehen.

Im artifiziellen Jargon dieser soziologischen Richtung spricht man von *Nativismus.* Wenn dieser Begriff dazu benutzt wird, die aktuelle und in der Tat höchst bedeutsame Erscheinung von Religionsstiftungen der Neuzeit allein aus soziologischer Sicht zu erfassen, so zeigen sich hier sehr deutlich die Mängel dieser Methode. Denn der Terminus „Nativismus" – mit blühendem Verbalismus definiert als „kollektiver Aktionsablauf, der von dem Drang getragen ist, ein durch überlegene Fremdkultur erschüttertes Gruppen-Selbstgefühl wiederherzustellen durch massives Demonstrieren des ‚eigenen Beitrags' " [92] – erfüllt bei seiner Verwendung für die neuen Religionen durchaus nicht das Erfordernis eines Begriffes, seinen Inhalt möglichst vollständig wiederzugeben.

Es ist der Schreibtischbegriff von Leuten, die keine fremden und

unter ihnen keine neuen Religionen gesehen haben. Denn deren Bekenner wissen nichts von „Nativismus" und den ihm beigegebenen
Inhalten, wohl aber vom Wirken und vom Charisma ihres – vielleicht
göttlich verehrten – Stifters und von dem Seelenheil, das ihnen ihr
Glaube vermittelt. Mit Soziologie hat das sehr wenig zu tun.

Der „Nativismus" ist exemplarisch für verschiedene Sichtweisen, die
gekennzeichnet sind durch das Bemühen, religiöse Phänomene als Produkt immanenter Bedingungen und profaner Wandlungsvorgänge zu
erfassen. Wenn aus soziologischer, wirtschaftlicher oder auch tiefenpsy-
chologischer Sicht religiösen Phänomenen bestimmte Schemata oktroy-
iert werden, so gleichen solche Versuche einem Bemühen, das Buddha
in anderen Zusammenhängen mit einem aber auch hier durchaus treffend anwendbaren Gleichnis ironisiert hat, nämlich dem Gleichnis von
den Blindgeborenen, die einen Elefanten beschreiben wollen: sie be-
tasten einzelne Körperteile – Kopf, Rüssel und Schwanz – und geben
diese jeweils für das Aussehen des Elefanten aus [93].

Noch ein Beispiel kann das Gemeinte veranschaulichen. Das Phänomen der Pyramiden Altägyptens kann zweifellos unter sehr verschiedenen Gesichtspunkten behandelt werden. Man kann fragen nach der
numerischen und sozialen Zusammensetzung der für den Bau notwen-
digen Arbeitskolonnen und ihrer Aufseher, nach ihrer wirtschaftlichen
und rechtlichen Stellung. Man kann Material und Materialbeschaffung,
Konstruktion und Technik des Pyramidenbaus ins Auge fassen, man
kann die Pyramide als Kunstwerk beschreiben. Aber es dürfte kein
Zweifel darüber bestehen, daß alle diese Betrachtungsweisen, wenn sie
auch für sich zweifellos Berechtigung haben und Interesse finden, doch
keinesfalls *die sinngebende Intention* der Pyramide als einer primär
religiösen Erscheinung erfassen, die mit dem Glauben an Tod und
Auferstehung eines sakralen Herrschers verbunden war – und ohne
das religiöse Phänomen des Sakralkönigtums im alten Ägypten nie
gebaut worden wäre.

Zieht man das Fazit der Überlegungen zur Epochē, so kann man
feststellen, daß sie einen Effugismus, der der spezifisch religiösen Erfassung religiöser Phänomene ausweicht, ebenso ausschließt wie das
vom eigenen Bekenntnis bestimmte Werturteil. Und in diesem zweiten
Punkt liegt ein entscheidender Unterschied zwischen der wissenschaftlichen, von der Epochē bestimmten Erfassung religiöser Phänomene
einerseits und andererseits dem spontanen, in einer aktuellen Situation
interreligiöser Begegnung vollzogenen Vergleich.

Trotzdem ist die Verwirklichung der Epochē nicht problemlos. Denn
einem religiösen Phänomen kann, wenn man um sein Verstehen be-

müht ist, nicht mit völliger Indifferenz, sondern nur mit Interesse begegnet werden. Joachim Wach stellte fest [94]:

Alles wirkliche Verstehen setzt ein Interessenehmen voraus. Für die Religionsforschung ist dieses „Interesse" eine conditio sine qua non.

Man studiert eben ein religiöses Phänomen nicht wie den Ablauf eines mechanischen Vorgangs. Wie der Betrachter eines Kunstwerks, so wird der Beobachter eines Kultes berührt von den rituellen Formen seines Vollzugs, er mag sie, wie etwa diejenigen shintoistischer Tempeltänze, anziehend empfinden oder von ihnen abgestoßen werden, wie vielleicht von blutigen Opfern und ekstatischen Exzessen des Wodu oder der Umbanda.

Zur *epochē* tritt daher in jedem Fall die *méthexis*, die innere Teilnahme [95], und sie bewirkt, daß die Religionsforschung nicht standpunktlos betrieben und die Epochē nur approximativ erreicht werden kann. Dies lehren bereits die Unterschiede bei Aufbau und Anordnung des Stoffes in religionsphänomenologischen Werken, ebenso die Betonung und Herausstellung einzelner Phänomene auf Kosten der wesentlich knapperen Behandlung anderer Erscheinungen.

Man fragt sich, wie der Subjektivismus, dem damit erneut eine Tür geöffnet zu sein scheint, am wirksamsten zu begrenzen ist. Die Antwort kann nur darin liegen, eine größtmögliche Blickweite und eine Breite der religionsgeschichtlichen Basis zu fordern, die eine gar zu leicht zu Fehlurteilen verführende Beschränkung auf nur eine Religion oder gar nur eine Epoche ihrer Geschichte ausschließt. Wenn irgendwo im Bereich der Religionsforschung, so gilt in allererster Linie auf dem Gebiet der Phänomenologie das berühmte Diktum Max Müllers:

Wer eine Religion kennt, kennt keine [96]. –

Ungleich stärker, als dies für die Aufgaben und Probleme der Epochē gilt, ist in der neueren Religionswissenschaft nach dem zweiten Weltkrieg eine Klärung des *Verhältnisses zwischen Religionsgeschichte und Religionsphänomenologie* Gegenstand prinzipieller Überlegungen gewesen, und diese Thematik hat eine bemerkenswert vordringliche Rolle in den methodologischen Auseinandersetzungen auf dem 10. Internationalen Kongreß für Religionsgeschichte gespielt, der im September 1960 in Marburg an der Lahn veranstaltet wurde.

Bereits 1954 hatte der große römische Religionswissenschaftler Raffaele Pettazzoni in der ersten Nummer der damals begründeten internationalen religionsgeschichtlichen Zeitschrift ›Numen‹ in einem Essay, mit dem er selbst Stellung nahm gegen die Einseitigkeiten einer ausschließlich phänomenologischen Betrachtungsweise, deren extreme Position wie folgt charakterisiert [97]:

Man hat sich gesagt, es genüge nicht, genau zu wissen, was sich ereignet hat und wie die Fakten entstanden sind; vor allem müsse man den *Sinn* des Geschehens kennenlernen. Diese tiefere Erkenntnis können wir nicht von der Religionsgeschichte verlangen; sie fällt in den Bereich einer anderen Wissenschaft von der Religion: der Religionsphänomenologie.

Die Religionsphänomenologie ignoriert die historische Entwicklung der Religion („von einer historischen ‚Entwicklung' der Religion weiß die Phänomenologie nichts": van der Leeuw). Ihr Ziel ist vor allem, aus der Vielfalt der religiösen Phänomene die verschiedenen Strukturen herauszulösen. Nur die Struktur kann uns helfen, den Sinn religiöser Phänomene unabhängig von ihrer Stellung in Raum und Zeit und ihrer Zugehörigkeit zu einem gegebenen kulturellen Milieu zu erhellen. Dadurch erlangt die Religionsphänomenologie eine Allgemeingültigkeit, die einer Religionsgeschichte, die sich dem Studium der Einzelreligionen widmet und aus diesem Grund der unausbleiblichen Zersplitterung der Spezialisierung ausgesetzt ist, fehlt. Ohne Zögern gibt sich die Phänomenologie als Wissenschaft *sui generis*, als wesensmäßig verschieden von der Religionsgeschichte („die Religionsphänomenologie ist nicht Religionsgeschichte": van der Leeuw).

Die hiermit gekennzeichnete radikale Lösung der Phänomenologie von der Religionsgeschichte, die Pettazzoni selbst im weiteren Verlauf seiner Darlegung entschieden ablehnte, ist bis heute aktuell, weil sie oft verführerisch wirkt besonders auf jüngere Adepten des Faches, die gern die Mühen der philologisch-historischen Forschung überspringen, um rasch zur Bildung von Thesen zu gelangen. Aber es ist dieser Position auch sehr entschieden entgegengetreten worden [98], und man hat abwertend von einer „phänomenologischen Einebnung" gesprochen [99]. Sicher dürfte Widengren recht haben mit seiner Feststellung [100]:

Behandelt man Erscheinungen, bei denen der historische Hintergrund für die phänomenologische Interpretation von besonderer Bedeutung ist, wird man die entsprechenden Phänomene innerhalb ihrer eigenen Strukturen in einer gegebenen Religion darstellen müssen.

Hier kann es nur darum gehen, wesentliche Gesichtspunkte dieses Anliegens herauszustellen und an Beispielen zu erläutern.

Das ist einmal die Gefahr, bei phänomenologischen Betrachtungen rein statisch zu verfahren, sozusagen Momentaufnahmen eines Phänomens zu untersuchen. Eine derartig ungeschichtliche Sicht, die zur Herauslösung religiöser Phänomene aus ihrem historischen Zusammenhang führt, vernachlässigt den Wandel des Phänomens und erfaßt dieses nur in einer bestimmten geschichtlichen Situation.

So ist es etwa durchaus möglich und oft zu Recht geschehen, daß man Buddha auf Grund der Bezeugung früher Texte als Religionsstifter versteht und dem phänomenologischen Typus des Stifters zuordnet. Aber man sollte klarsehen und darauf hinweisen, daß hiermit nur ein Stadium in der Geschichte des Buddha-Verständnisses erfaßt ist, und daß heute und seit langen Jahrhunderten viele seiner Anhänger, die ihn als „Herr der Götter, Herr der Welt" preisen [101], in ihm ein verehrungswürdiges Numen erblicken. Und diese Sicht würde eine Zuordnung zu Phänomenen des Gottesglaubens erforderlich machen.

Ein zweites Beispiel: man kann sehr wohl christliches und buddhistisches Mönchtum in vielerlei Hinsicht vergleichen, etwa im Hinblick auf die Gelübde der Mönche, auf Ordensregel und Klosterleben, auf kontemplative und aktive Existenzweise. Aber man übersieht, wenn man nicht historisch vorgeht, einen entscheidenden Unterschied. Das christliche Mönchtum entstand aus einem „asketischen Enthusiasmus" (Karl Heussi), der *keine conditio sine qua non* christlichen Lebens darstellte. Das buddhistische Mönchtum aber ist dieser Religion *eingestiftet*, weil nur im mönchischen Leben die strikte Befolgung ihrer Gebote möglich und die Erlangung ihres Heilsziels erreichbar ist. Genau die gleichen Bedingungen führten im Manichäismus zur Aufteilung der Gläubigen in die Electi, die „Auserwählten" einerseits und andererseits die Laienanhänger oder „Hörer", die Auditores.

Hiermit ist bereits auf die *sinngebende Größe* eines Phänomens, auf seinen inneren Logos und seine Grundintention verwiesen. Die verkürzte Sicht eines nur punktuellen Vergleichens isolierter Einzelphänomene aus verschiedensten Religionen übersieht nur allzu leicht, daß diese Phänomene im jeweiligen Rahmen ihrer Zugehörigkeit zu bestimmten Religionen unterschiedliche religiöse Intentionen zum Ausdruck bringen können.

So war etwa in der Spätantike der Weinstock sowohl Symbol Christi als aus des griechischen Gottes Dionysos. Aber in beiden Fällen verbanden sich damit völlig unterschiedliche Bedeutungen. Bei Dionysos verweisen sie auf den Weinrausch der kultischen Ekstase, auf den Aspekt des Rauschhaften und Chaotischen im Bilde dieses den olympischen Gottheiten fremden Numens. Im Christentum entstammt das Bild den Abschiedsreden Jesu im Johannesevangelium, dem an die Jünger gerichteten Wort: „Ich bin der Weinstock, ihr seid die Reben" (15, 5), einer Aussage, die innigste geistige Gemeinschaft zum Ausdruck bringt.

Das Kreuz, im Christentum Sinnbild für den Sieg Christi über den Tod, war in der vorkolumbischen, indianischen Zeit Mexikos ein Symbol des Gottes Quetzalcoatl; in bildlichen Darstellungen erscheint es auf seinem Schild. Und diese Beobachtung ist gelegentlich zur Stützung von Thesen über einen vorspanischen, frühen und später vergessenen Versuch der Missionierung Mexikos herangezogen worden, wobei aus der äußeren Parallele auf einen genetischen Zusammenhang geschlossen wurde. Doch diese Spekulationen scheitern völlig am unterschiedlichen Sinngehalt. Denn das mexikanische Kreuz ist ein Symbol für die vier Weltgegenden. Recht vielfältig sind die Vorstellungen, die sich mit der Schlange und dem Drachen verbinden. Biblische Urgeschichte und Apokalypse, aber auch die Legenden von den Drachenbesiegern Michael und St. Georg prägten die Vorstellung vom dämonischen, teuflischen Wesen, die sich auch im babylonischen und indischen Mythos findet. In China repräsentiert die Schlange das Wasser, im alten Ägypten vernichtet die Stirnschlange des Sonnengottes Re dessen Feinde. Und in der indianischen Zeit Mexikos galt die Schlange als Symbol wohltätiger Gottheiten.

Auf die Aufgabe, Phänomene nicht vordergründig zu systematisieren, vielmehr nach ihrem historisch bedingten Sinngehalt zu fragen, kann abschließend mit einem erhellenden Vergleich hingewiesen werden, den Heinrich Frick ausgeführt hat. Er schrieb [102]:

Buddhismus, Christentum und Islam kennen eine *heilige Nacht*, die in der Phantasie der frommen Gemeinde verklärt ist mit allen Empfindungen von Dank und Seligkeit. Aber woran haftet jedesmal dieses Gefühl?

Frick beantwortet diese Frage im Hinblick auf den Buddhismus mit der Erleuchtung, die Buddha in der Nacht am Ufer des Flusses Nairanjana gewann, mit der Erkenntnis, die ihm Klarheit verschaffte über seine Heilslehre.

In der heiligen Nacht des Islam, der *lailat al kadr*, der „Nacht der Macht", empfing der Prophet Mohammed seine erste Offenbarung. Er selbst war nur Empfänger dieser Sendung. Gesandt ist der Koran, das heilige Buch.

„Die heilige Nacht des Christentums bezieht sich nicht auf die Lehre und nicht auf das Buch. Weihnacht wird es, wenn Er selbst, der Stifter, in die Welt hereintritt."

DAS WESEN DES RELIGIÖSEN PHÄNOMENS

Im 28. Kapitel der Genesis (Vers 11–22) wird die bekannte Bethel-Geschichte erzählt. Auf seiner Reise ins Zweistromland rastet Jakob an einem Ort, an dem ihm nachts im Traum eine Himmelsleiter, Jahwe und seine Engel erscheinen. Am anderen Morgen wird ihm bewußt:

Gewiß ist Jahwe an diesem Ort, und ich wußte es nicht.

Und Jakob fürchtet sich, und er spricht:

Wie schauervoll ist diese Stätte! Hier ist nichts anderes, denn Gottes Haus, und hier ist die Pforte des Himmels.

Und Jakob errichtet den Stein, an den er schlafend seinen Kopf gelehnt hatte, als Malstein, begießt ihn mit Öl und nennt den Ort *Beth-El*, „Haus Gottes".

Dieser biblische Bericht ist typisch für das Wesen einer heiligen Stätte. Sie ist der Ort einer Begegnung der Gottheit mit den Menschen. Das Jenseitige, Übersinnliche, Transzendente haben an ihr ebenso Anteil wie das Diesseitige, sinnlich Erfaßbare, Immanente. Damit stellt die heilige Stätte eine Besonderheit im natürlichen Raum dar. Sie ist Aufenthalts- und Verehrungsort der Gottheit, die an ihr offenbar, manifest wird. Wir können von *Manifestationen* des Sakralen reden, wenn das Werden der heiligen Stätte, wenn ihre Entdeckung auf göttlicher Offenbarung beruht.

Von der Manifestation des Sakralen kann, obwohl auch sie ihrer Sinngebung nach gleichermaßen Chiffre der Transzendenz ist, die *Realisation* des Heiligen unterschieden werden, wenn man unter ihr Schaffung und Erhaltung eines religiösen Phänomens versteht, die menschlicher Initiative entspringen. Bleibt man beim Thema der Sakralisierung des Raumes, so ist hierfür der folgende Bericht charakteristisch, der einer altägyptischen Inschrift aus der Zeit Sesostris' I., des zweiten Herrschers der 12. Dynastie des Mittleren Reiches, zu entnehmen ist und den Entschluß des Königs zu Tempelbauten in Heliopolis betrifft [103]:

Der König erschien in der Doppelkrone, und es geschah, daß man (d. h. der König) sich in der Halle niedersetzte und daß man sein Gefolge um Rat fragte, die Kammerherren des Palastes und die Räte an der Stelle der Einsamkeit (d. h. im Innersten des Palastes). Man befahl, während sie es hörten; man fragte um Rat und ließ sie ihre Meinung zeigen: „Seht, meine Majestät bestimmt ein Werk und denkt an etwas Großes für die Nachwelt, daß ich ein Denkmal errichte und einen festen Denkstein für (den Gott) Harachti aufstelle. Er hat mich ja gebildet, um das zu machen, was ihm gemacht werden soll, und um das auszuführen, was er zu tun befohlen hat. Er hat mich zum Hirten dieses Landes gemacht, denn er wußte, daß ich es ihm in Ordnung halten würde."

Vergleicht man beide Texte, die Bethel-Geschichte und die Inschrift über den Plan des Tempelbaus in Heliopolis, so werden Unterschiede und Gemeinsamkeiten deutlich. Im ersten Bericht handelt es sich um eine spontane Manifestation des Heiligen im profanen Raum auf Grund einer unmittelbar vorangegangenen Theophanie. Auch der zweite Text betrifft die räumliche Abgrenzung einer sakralen Sphäre, die durch den Tempelbau vollzogen werden soll. Hier aber handelt es sich um eine menschliche Realisation, um eine heilige Handlung, deren Motivation durch göttlichen Willen bereits auf Tradition beruht. Das Gemeinsame jedoch der Manifestation wie der Realisation des Heiligen liegt im Ergebnis, in der Entstehung eines religiösen Phänomens. Fragt man generell und unabhängig von seiner Erscheinung im Raum, in der Zeit, im Bereich der gegenständlichen Welt oder im menschlichen Leben und seinen Ordnungen nach dem *Wesen des Phänomens,* so gibt hierüber in vorzüglicher Weise der Text eines Briefes Aufschluß, mit dem Julian Apostata auf den Sinn der Götterbilder einging. Der erfolglose, gescheiterte Reorganisator des antiken Heidentums schrieb [104]:

Wenn wir die Götterbilder betrachten, sollen wir sie nicht für Stein und Holz halten, aber auch nicht für die Götter selbst. Auch die Kaiserbilder nennen wir nicht bloßes Holz, Stein oder Erz, aber auch nicht die Kaiser selbst, sondern Abbilder der Kaiser. Wer nun den Kaiser liebt, sieht gern das Bild des Kaisers, wer sein Kind liebt, gern das Bild des Kindes, und wer den Vater liebt, gern das Bild des Vaters. Also blickt auch, wer die Götter liebt, gern auf die Bilder der Götter von Marmor und Erz, in ehrfürchtigem Schauer vor den Göttern, die unsichtbar auf ihn herniedersehn. Wenn aber jemand meint, sie dürften dann auch nicht zerstörbar sein, weil sie einmal Bilder der Götter heißen, scheint er mir ganz töricht. Dann müßten sie ja auch nicht von Menschen gemacht sein. Was ein weiser und guter Mann geschaffen hat, kann ein schlechter und unverständiger zerstören. Die lebendigen Abbilder, die die Götter für ihr unsichtbares Wesen geschaffen haben, die Götter, die am Himmel kreisen, bleiben in Ewigkeit. Deshalb soll niemand an den Göttern irre werden, wenn er sieht und hört, wie einige gegen Götterbilder und Tempel gewütet haben.

Dieser Text wendet sich einmal gegen den in der unterschichtigen „Religion der Tiefe" zu allen Zeiten verbreiteten Glauben an die Realpräsenz des Gottes in seinem Bild, er kennzeichnet aber andererseits die menschliche Begegnung mit dem Phänomen des Götterbildes als „ehrwürdigen Schauer" und damit als ein typisch religiöses Erlebnis. Er betont ferner, daß diese Bilder eben nicht nur Holz, Stein oder Erz, sondern mehr als dieses seien. Damit ist – ausgedrückt in heutiger religionswissenschaftlicher Terminologie – der ambivalente Charakter des Phänomens umschrieben, seine Teilhabe sowohl am Profanen als auch am Heiligen.

Das Heilige als religionswissenschaftliche Kategorie, als zentralen Begriff zum Kriterium für das Wesen der Religion und zur Erfassung ihrer Eigenständigkeit hat erstmals Nathan Söderblom herausgestellt in seinem berühmten Artikel ›Holiness‹, der 1913 in Hastings ›Encyclopaedia of Religion and Ethics‹ erschien. Darin schrieb Söderblom[105]:

Heiligkeit ist das große Wort in der Religion; es ist sogar noch wesentlicher als der Gottesbegriff.

Bedeutende Breitenwirkung erlangte dieses Verständnis von „heilig" dann durch das bereits zitierte, vorwiegend religionspsychologisch orientierte Werk von Rudolf Otto über ›Das Heilige‹, in dem vor allem der Reflex des Heiligen im Kreaturgefühl des Menschen herausgestellt wurde, also die subjektiven Gefühle, die im Menschen durch die Begegnung mit dem Heiligen ausgelöst werden. Sie sind einerseits gekennzeichnet durch die psychische Reaktion auf ein *fascinans,* ein anziehendes, bestrickendes, zutiefst wundervolles Moment, aus dem Ergriffensein und Überschwenglichkeit resultieren. Es steht in Kontrastharmonie zu einem *tremendum,* dem Moment des Schauervollen, der schlechthinnigen Unnahbarkeit, die sich in Furcht, Scheu, panischem Schrecken äußert; einige Sprachen besitzen charakteristische Termini für diese Gefühlsreaktionen, z. B. griechisch *thámbos,* lateinisch *horror,* englisch *awe,* finnisch *huu,* welch letzteres dann die Bedeutung „Gespenst" gewinnt.
Es ist hier nicht der Ort, im einzelnen die umfangreiche Diskussion zu referieren, die der Begriff des Heiligen in der modernen Religionswissenschaft ausgelöst hat[106]. Wesentlich ist das folgende: die Einführung des Begriffes beruht auf der Intention, die Selbständigkeit der Religion herauszustellen und damit zugleich die Unmöglichkeit, sie aus nichtreligiösen Erscheinungen ableiten und begründen zu wollen; den Anstoß hierzu hatte bereits 1799 Schleiermacher mit seinen ›Reden über die Religion‹ gegeben.

Aber: das Heilige ist weder aus dem Begriff einer unpersönlichen
„Macht" abzuleiten, wie dies bei Söderblom der Fall ist, noch als der
„Urschauer" zu verstehen, wie dies bei Rudolf Otto zumindest teilweise geschieht. Es ist überhaupt keine unpersönliche Größe, sondern
eine Qualität, die der göttlichen Sphäre angehört [107].
Das stimmt überein mit der Geschichte des Begriffs. Die angelsäch-
sischen Missionare verwandten das Wort „heilig" zur Wiedergabe des
lateinischen *sanctus,* das seinerseits griechischem *hágios* und hebräi-
schem *qadōsch* entspricht. Das Adjektiv *sanctus* gehört zum Verb *san-
cire,* „begrenzen, umschließen", und mit dem Etymon *sanctio* bezeichneten die Römer ursprünglich die Abgrenzung heiliger Orte, um so
der Rache der dort waltenden Gottheit zu entgehen. Der heilige Bezirk
ist damit einerseits ein irdischer Raum, andererseits aber dem Alltäglichen enthoben, weil er der Gottheit geweiht ist und durch deren
Wesen qualifiziert wird. In diesem Sinne, der in der Antike in erster
Linie dem Phänomen der heiligen Stätte galt, ist generell jedes religiöse
Phänomen gekennzeichnet durch seine Anteilhabe am Irdischen und
zugleich am Göttlichen, durch die Complexio oppositorum des Profanen und des Heiligen.
Aus diesem Charakter des religiösen Phänomens resultiert, daß es
eine besondere, außergewöhnliche *Behandlung* erheischt. Das Wort, das
bei seiner Berufung an Mose ergeht:
Ziehe deine Schuhe von deinen Füßen; denn die Stätte, worauf du stehst, ist
heiliger Boden [108],
gilt stets und überall für die Begegnung des Menschen mit dem religiösen Phänomen. Es ist von Meidungsgeboten, von Tabu-Vorschriften
umgeben, aber auch irdischen Bedingungen und irdischer Gesetzlichkeit
enthoben; daher das Asylrecht, das der Verfolgte im Tempel genießt.
Ferner: die heilige Sphäre des Phänomens kann für den Menschen
unnahbar und gefahrvoll sein. Die altägyptische Geschichte des Ra-ur
ist hierfür exemplarisch. Ra-ur kommt versehentlich mit dem Szepter
des ägyptischen Sakralherrschers in Berührung, und er wird dann,
offenbar damit er durch den Kontakt mit dem übermenschlichen Macht-
bereich keinen Schaden oder vielleicht gar den sofortigen Tod erleide,
vom König ausdrücklich heilgesprochen [109].
Schließlich ist auf die *außerordenliche Beharrungskraft* des religiösen
Phänomens zu verweisen. Sie gilt wohl in erster Linie für die heilige
Stätte. Wenn Goethe sagt [110]:

Die Stätte, die ein guter Mensch betrat,
Ist eingeweiht; nach hundert Jahren klingt
Sein Wort und seine Tat dem Enkel wieder,

so besteht diese Macht der Tradition erst recht, wenn die Einweihung eine rein religiöse ist. Nicht selten läßt sich dabei eine gewissermaßen neutrale Heiligkeit des Phänomens beobachten, die vom Religionswechsel unberührt bleibt. Das tritt augenfällig zutage, wenn Religionen vorgefundene, fremdreligiöse Heiligtümer übernehmen und mit neuer Sinngebung versehen. Dies geschah oft bei der Verwendung heidnischer Kultstätten für den christlichen Gottesdienst.

Als einst die Spanier in Mexiko ihre christlichen Kathedralen erbauten, errichteten sie sie vielfach auf den Kultstätten der Azteken. Mit einer häufig in der Missionsgeschichte zu beobachtenden Praxis überhöhten sie die heidnische Stätte mit dem sichtbaren Zeichen der siegreichen christlichen Religion. Aber sie knüpften zugleich an an den sakralen Sinn des vorgefundenen Heiligtums. Die Religionsgeschichte ist reich an derartigen Beispielen.

. . . der Tempel des Hadad in Damaskus, später dem Jupiter Damascenus geweiht, wurde zu einer Kirche Johannes' des Täufers; der sogenannte Concordia-Tempel in Agrigento diente vom 6. bis zum 18. Jahrhundert als christliches Gotteshaus; der Athena-Tempel in Syrakus, im 7. Jahrhundert restauriert, dient heute noch als Kathedrale; der sogenannte Vesta-Tempel in Rom heißt nun Maria del Sole; das römische Pantheon trägt seit dem 8. Jahrhundert den Namen Maria ad Martyres; in Toledo und sonst in Spanien hat man Moscheen in Kirchen verwandelt, wie umgekehrt die Hagia Sophia oder die altarabische Kaaba in Moscheen verwandelt wurde; auf der Spitze der Teocalli-Pyramide bei Cholula (Mexiko) steht heute ein Marienheiligtum. Altgeheiligte Orte wurden, durchweg unter Veränderung des Namens, zu christlichen Wallfahrtsorten: der sizilianische Erice wurde zum Monte S. Giuliano, das Bergheiligtum der Rhea Kybele bei Neapel zum Monte Vergine, der Monte Gargano mit seinem Höhlenheiligtum zum berühmten Kultort des Erzengels Michael, auf dem Mont-St-Michel befand sich eine keltische Totenstadt. Nicht selten baute man über der heidnischen Kultstätte: der Kölner Dom steht auf den Trümmern eines römischen Tempels, und vor diesem stand dort ein germanisches Heiligtum; die Kathedrale von Chartres steht über einer keltischen Kultstätte; S. Clemente über einem Mithräum, S. Maria sopra Minerva, S. Maria in Cosmedin und S. Sabina seien als Beispiele aus Rom genannt [111].

Für die Anziehungskraft bedeutender Kultstätten ist Jerusalem ein Musterbeispiel. Schon als vorisraelitisches Kultzentrum muß es eine Rolle gespielt haben. Dann wurde es sukzessive zur heiligen Stätte dreier Religionen: des Judentums, des Christentums und des Islam. Die Verbindung mit dem Islam ist besonders signifikant für die religiöse Ausstrahlungskraft Jerusalems. Denn sie erfolgte, obwohl Mohammed die Gebetsrichtung von Jerusalem nach Mekka verlegt hatte, und wurde begründet mit der Behauptung, der Prophet habe seine Himmelsreise zum Thron Allahs von dem später von der Omar-Moschee umschlossenen Felsen aus angetreten [112]. –

Das Beharrungsvermögen des religiösen Phänomens ist nun keineswegs auf die heilige Stätte beschränkt, wenn es auch bei ihr am augenfälligsten und wohl auch häufigsten in Erscheinung tritt. Erstaunlicher wirkt noch die Beständigkeit des mythischen Phänomens, das sich bewußt, häufiger unbewußt neben rationalen Ansichten erhält. Wenn wir noch heute vom „Sonnenaufgang" und „Sonnenuntergang" reden, so ist das keine naturwissenschaftlich vertretbare Aussage, sondern eine solche, die sinnvoll ist auf dem Hintergrund einer mythischen Kosmologie. Sie setzt die Vorstellung der Erde als einer Scheibe voraus. Unter ihr, in der Unterwelt verweilt die Sonne des Nachts, und zum Tagesbeginn kommt sie herauf, sie „geht auf", um abends wieder hinunterzugehen. –

Religionsphänomenologien geben im allgemeinen dem *Gottesbegriff* weiten Raum, und sie begreifen damit auch ihn als ein Phänomen. Dies geschieht zu recht, insofern die in ihrer Kontrastharmonie mit der Transzendenz für das Phänomen konstitutive Immanenz im Gottesbild, sei es anthropomorph oder theriomorph, also in jedem Falle menschlichem Vorstellungsvermögen entsprechend, ebenso hervortritt wie in Prädikationen der Macht, Weisheit, Wahrheit, Gerechtigkeit und Liebe, ferner im irdischen Charakter des Wortes von Gott, das sich bei der Nennung des Gottesnamens und für die Inhalte der Offenbarung, des Dogmas und des Sittengesetzes ebenso der menschlichen Sprache bedient wie das Wort zu Gott in Anrufung, Gebet und Beichte, Gelübde und Opferformel.

Schließlich ist auf die menschliche Gestalt des irdischen Bereichen verhafteten Offenbarungsträgers zu verweisen, der erst die Verbindung zur Transzendenz eröffnet. In diesem Sinne sind die Worte Rudolf Ottos zu verstehen:

Zum Numen gehört ein Seher, und ohne diesen gibt es keins [113].
Ohne ihn bleibt ein Regenbogen ein Regenbogen und ein Himmel ein steinernes blaues Dach [114].

Die hiermit begründete Zuordnung des Gottesbegriffs zu den Phänomenen der Religion gilt für den offenbaren Gott, den *Deus revelatus;* für den verborgenen Gott, den *Deus absconditus* oder *Deus ipse* gilt sie nicht. –

Es ist vollauf deutlich, daß der Begriff des religiösen Phänomens mit keiner der unterschiedlichen Begriffsbestimmungen von „Phänomen", die die neuere *Philosophie* seit Kant vollzogen hat, in Übereinstimmung zu bringen ist. Auseinandersetzungen hierüber erübrigen sich. Denn für die Religionswissenschaft kann nur relevant sein, daß der Begriff in *ihrem* Verständnis und für die *ihr eigenen* Forschungsaufgaben brauchbar und nützlich ist.

Einzugehen ist aber noch auf das Verhältnis des Phänomens zum *Symbol.* Hier sind klare Definitionen besonders vonnöten, zumal sie in modernen Richtungen einer sogenannten Symbolforschung häufig übersehen und ersetzt werden durch ein „Erfühlen" des Symbolgehaltes. Wenn van der Leeuw schrieb [115]:

Das Symbol ist ein Teilhaben des Heiligen an seiner aktuellen Gestalt. Zwischen dem Heiligen und seiner Gestalt existiert Wesensgemeinschaft,

so liegt hier ein *realistisches* Verständnis der Bezüge zwischen dem Gegenständlichen des Symbols und seinem religiösen Gehalt vor. Das Symbol nimmt an der Wirklichkeit dessen teil, auf das es hinweist und das es symbolisiert. Der Wortsinn des griechischen *sýmbolon* als eines „Zusammengeworfenen" wird hier in legitimer Weise verstanden als das „Zusammentreffen" einer profanen Erscheinung mit der sakralen Sphäre, wobei es zu einer rational nicht faßbaren Wesensgemeinschaft auf Grund einer „mystischen Teilhabe" einer *participation mystique* kommt. Dieses realistische Verständnis des Symbols trifft mit dem des Phänomens überein.

Vom realistischen ist aber ein *idealistisches* Symbolverständnis zu unterscheiden, das von einer wesenhaften Verschiedenheit zwischen Gehalt und Erscheinung des Symbols ausgeht. Hierbei ist seine Erscheinungsform nur ein Transparent für den Gehalt, sie ist nur Chiffre für den transzendenten Sinn.

Hiermit sind weitere, wesentliche Unterschiede gegeben. Auf Grund des unlösbaren Zusammenhanges zwischen Sinngehalt und Erscheinung verlangt das realistische Verständnis des Symbols die historische Frage nach seiner ursprünglichen Bedeutung. Bei einem idealistischen Verständnis des Symbols ist das, für das es Chiffre sein soll, viel leichter austauschbar und damit einem „Erfühlen" zugänglich.

Ferner: tritt ein Desakralisierungsprozeß ein, so muß er das realistisch verstandene Symbol verwerfen. Er zerstört eine heilige Stätte, er beraubt eine Kirche restlos ihres religiösen Sinnes, indem er sie etwa in ein Kino verwandelt. Bei einem idealistischen Verständnis dagegen kann ein *Absinken des Symbols* eintreten, die Verlagerung seines religiösen Sinnes auf eine andere Ebene. Die ehemals religiösen Symbole können als Amulett oder Talisman magische Bedeutung gewinnen.

Fahnen und Abzeichen bewahren ihre Symbolkraft auf politischer Ebene. Für den ästhetischen Bereich ist die symbolische Verwendung von Farben für Gemütsstimmungen bezeichnend.

GOTT UND DIE GÖTTER

„Immer steht am Anfang der Gott",
hat Walter F. Otto gesagt [116]. Dieser lapidare Satz widerspricht allen
evolutionistischen Konstruktionen, die hypothetisch eine spätere Ent-
faltung des Gottesglaubens aus niederen Formen des Macht- oder See-
lenerlebens behaupten wollen. Damit befindet sich diese Aussage in
Einklang mit den neueren Forschungen zum Gottesglauben. Lebhaft
diskutiert worden ist jedoch die Frage, ob es sich hierbei um einen
monotheistischen oder einen polytheistischen Gottesbegriff handele.
Monotheismus ist die Anerkennung und Verehrung nur eines einzigen Gottes. Sie ist typisch für Judentum, Christentum und Islam
sowie für den heutigen Parsismus und neuzeitliche Strömungen des
Hinduismus. Der Monotheismus betont die metaphysische Absolutheit
Gottes, seine Ewigkeit, Allgegenwart, Allmacht und Allwissenheit.
Ihm eignet Ausschließlichkeitscharakter und Universalitätsanspruch.
Gegenüber dem Polytheismus, dem Glauben an eine Vielzahl von
Gottheiten, bedeutet er einen absoluten Bruch. Er verneint entweder
radikal die Götter des Polytheismus, oder er dämonisiert sie. Die Anerkennung von Nebengöttern ist für ihn Sünde; vom Islam wird sie
mit dem Begriff *shirk, „Zugesellung"* von anderen Göttern zu Allah,
verdammt [117].

Die den monotheistischen Religionen eigene Offenbarungsform ist
der Prophetismus. Das religiöse Erleben des Menschen ist im Monotheismus stark durch die Erfahrung des geschichtlichen Handelns Gottes
geprägt. Dem entspricht die in monotheistischen Religionen vordringliche Bedeutung einer Geschichtstheologie, die teleologisch bestimmt ist
und einen eschatologischen Heilscharakter trägt. Der normative Wille
des monotheistischen Gottes stellt an den Menschen in erster Linie
ethische Forderungen.

Daß diese Form des Gottesglaubens die erste und ursprünglichste der
Menschheit gewesen sei, ist eine religionswissenschaftliche These, die
unter dem Namen *Urmonotheismus* bekannt geworden ist [118]. Aus
religionswissenschaftlicher Sicht ist die Theorie des Urmonotheismus
bereits in früheren Jahrhunderten vertreten worden, größte und weit-
reichende Bedeutung erfuhr sie aber erst durch das gelehrte Riesenwerk
des Paters Wilhelm Schmidt, das in zwölf Bänden unter dem Titel

›Der Ursprung der Gottesidee‹ [119] erschien, sowie dann in der Folgezeit durch die Arbeiten seiner um die Zeitschrift ›Anthropos‹ gescharten Schule.

Die These des Urmonotheismus, die den Polytheismus als eine geschichtlich spätere Erscheinung und als eine Entartung der ursprünglichen Glaubensform ansah, gab den Anstoß zu lebhaften Auseinandersetzungen. Die Kritik galt dabei vornehmlich der Forschungsmethode des P. Wilhelm Schmidt, die von religiösen Verhältnissen bei den primitivsten Stämmen der Gegenwart auf die tatsächlich historisch nicht erreichbaren Ursprünge der Menschheit schloß.

Aber die Verdienste des P. Wilhelm Schmidt dürfen nicht übersehen werden. Heinrich Frick hat sie mit folgenden Sätzen herausgestellt [120]:

Erst dem P. Wilhelm Schmidt ist es gelungen, die Anerkennung der Tatbestände durchzusetzen. Auch wer der Auffassung von der Geschichtsabfolge, wie sie P. Schmidt sieht, nicht folgen kann, muß ihm jedenfalls den Ruhm lassen, daß er die ernsthafte Forschung endgültig überzeugt hat von dem Tatbestand eines Hochgottglaubens gerade unter den primitivsten Völkern und zugleich von der Wichtigkeit dieser Tatsache.

Es ist zu vermuten, daß Heinrich Frick in diesen Ausführungen mit Bedacht nicht vom Urmonotheismus, sondern vom *Hochgottglauben* sprach. Denn damit ist der Glaube an ein *Höchstes Wesen* gemeint, der nicht Monotheismus zu sein braucht, sondern sich oft innerhalb eines polytheistischen Pantheons findet.

Auf diesen Hochgottglauben hatte als erster der schottische Folklorist und Literarhistoriker Andrew Lang aufmerksam gemacht. Unter dem Eindruck von Berichten über religiöse Vorstellungen schriftloser Völker wandte er sich mit seinem Buch ›The Making of Religion‹ [121] gegen animistische und dynamistische Erklärungen der Religion und setzte diesen Anschauungen, die er als Produkte eines religiösen Verkümmerungsprozesses ansah, den Glauben an Hochgötter, an "High Gods", entgegen.

Zur Wesenserfassung dieses frühen Hochgottes haben dann in unserer Zeit Geo Widengren und Raffaele Pettazzoni die wichtigsten Forschungen vorgelegt. Widengren hat den Charakter eines über Gut und Böse erhabenen Schicksalsgottes betont [122]. Pettazzoni hat in seinem letzten großen Werk über den allwissenden Gott das Höchste Wesen als eine mit visueller Allwissenheit begabte und hierdurch alle Taten der Menschen kennende, somit ihrer ethischen Sphäre verhaftete Gestalt dargestellt [123]. Beide Religionsforscher haben die Aufmerksamkeit auf den *uranischen Charakter* früher Hochgötter gelenkt.

Zu den Beweisen, die Pettazzoni hierfür anführte, zählt die wichtige philologische Beobachtung der Bedeutungsgleichheit von „Himmel" und „Gott" im chinesischen *t'ien* und im *tengri* der turkmongolischen Sprachen [124]. Speziell zu letzterem kann noch ergänzend auf die auffällige lautliche Ähnlichkeit hingewiesen werden, die dieses Wort, am deutlichsten in seiner alttürkischen Form *tengeri*, mit dem sumerischen *dingir* hat, dem Wort für „Gott", dessen Beziehung zum Himmel paläographisch unbestritten ist. Denn es wurde in altsumerischer Bilderschrift mit dem Zeichen eines Sternes geschrieben, der dann in der späteren Keilschrift zu zwei waagerechten und einem senkrechten Keil schematisiert ist. –

Wenden wir uns nunmehr dem *Polytheismus* zu, dem auffälligerweise gerade in höheren Kulturen, vor allem denen des Altertums weit verbreiteten Glauben an eine Vielheit von Göttern innerhalb ein und derselben Religion [125], so sind wir über Qualitäten und Funktionen polytheistischer Götter wie auch über die Grundzüge der Formung eines polytheistischen Pantheons durch bisherige Forschungen besser orientiert als über die unter genuin religiösem Gesichtspunkt wesentlichere Frage nach dem „Sitz im Leben", den in der Frömmigkeit ihrer Bekenner der Polytheismus innehatte.

In diesem Bereich ist mit Sicherheit bisher nur eine Erscheinung festgestellt worden, die wir nach dem Vorgang von Max Müller *Henotheismus* nennen [126]. Gemeint ist damit ein subjektiver Eingottglaube, die Erfahrung und Anerkennung der überwertigen Größe eines bestimmten polytheistischen Gottes, wobei schwer zu entscheiden ist, ob dies nur in spontaner Einmaligkeit geschieht oder bleibender Glaubensbesitz des Bekenners ist. Die Zeugnisse können für beides sprechen. So erkennt ein aztekischer Sänger, wahrscheinlich in einer Theophanie, den Gott Quetzalcoatl als alleinigen, und er bricht aus in die Worte [127]:

O du, du bist der Himmelsgott, der Gott schlechthin.

Die meist mit *Monolatrie* bezeichnete Verehrung henotheistischer Gottheiten beim Opfer, in Anruf und Gebet überträgt auf diesen einen Gott Namen oder Prädikationen anderer Götter [128]. In dieser Weise wird dem indischen Gott Agni, dem Herrn des vedischen Opferfeuers, gehuldigt [129]:

Du, Agni, bist Varuna, wenn du geboren wirst; du bist Mitra, wenn entzündet. In dir, o Sohn der Kraft, sind alle Götter; du bist für den opfernden Sterblichen ein Indra. –

In polytheistischen Systemen korrespondiert häufig dem himmlischen, als Vater verehrten Hochgott eine *Terra Mater,* eine mütterliche Göttin der Erde [130]. Sie wird als eine Macht verehrt, die das Leben

spendet, es aber auch als Empfängerin der Toten wieder in sich auf-
nimmt. Der Mythos von einem *hieròs gámos*, einer heiligen Hochzeit
zwischen Himmel und Erde, kann in einem Kultdrama repristiniert
werden und dient dann der Erhaltung des Lebens und der jährlichen
Erneuerung der Vegetation. Als Herrin der vegetativen Fruchtbarkeit
wird die Mutter Erde in besonderer Weise von Bauern verehrt, da
deren Existenz unmittelbar von der Erde abhängig ist. In der griechischen Religion läßt sich bereits in sehr frühen Schichten die Verehrung
einer Erdmutter nachweisen, die die älteste Herrin des später auf den
Gott Apollon übertragenen Heiligtums von Delphi war. Dieser griechischen Demeter entsprach in der römischen Religion die Tellus Mater.
In der altägyptischen Religion war das Geschlecht der mit der Erde
zusammenhängenden Gottheit männlich, dasjenige der himmlischen
Gottheit weiblich; dort stand dem Erdgott Geb die Himmelsgöttin
Nut gegenüber.

Die beiden Gottheiten des Himmels und der Erde sind exemplarisch
für zwei Gruppen numinoser Gestalten, die als *uranische und chthonische Götter* unterschieden werden [131]. In polytheistischen Systemen
lösen sie sich nicht selten ab in ihrer Herrschaft über die Welt. So ver-
warf in Griechenland die homerische Adelsreligion die uralten chthonischen Numina des Landes; sie entmachtete sie oder sie verband sie
mit ihren olympischen Gottheiten. Hera, wahrscheinlich eine alte
chthonische Göttin, wird zur Himmelskönigin durch ihre Vermählung
mit Zeus, über dessen eheliche Treue sie dann ebenso eifersüchtig wie
erfolglos wacht.

Die Ehe zwischen Zeus und Hera ist typisch für die Vorstellung
eines *göttlichen Elternpaares,* von dem andere Gottheiten abstammen.
Deutlich ist hierbei das Bestreben, ein ausgeglichenes, nach Analogie
menschlicher Familienverhältnisse geordnetes Pantheon zu besitzen.

Die ordnende Aufgliederung polytheistischer Gottheiten findet auch
im *Generationswechsel* Ausdruck. Der griechische, von Hesiod über-
lieferte Mythos einer Abfolge von Uranos, Kronos und Zeus in der
Götterherrschaft besitzt eine auffällige Parallele und vielleicht sein
Vorbild im churritischen, hethitisch überlieferten *Sukzessionsmythos.*
Als Göttervater galt ursprünglich Kumarbi. Er hatte seinen Vater Anu
vom Thron gestürzt, wurde aber dann selbst in der Abfolge dreier
„Könige im Himmel" vom Wettergott Teschub abgelöst [132].

Analogien zu menschlichen Verhältnissen sind keineswegs in jedem
Fall bestimmend für die Konzeption eines göttlichen Elternpaares. Es
kann sich hierbei vielmehr auch um die vergeistigtere Vorstellung handeln, daß die Fülle der Gottheit nur in der Kombination zweier per-

sonaler Möglichkeiten, in einem *komplementären Dualismus* Ausdruck zu finden vermöge. Dann erscheint dem Gläubigen die Gottheit *zugleich* als Vater und Mutter, als eine *Elterngottheit* und damit letztlich als personale Einheit. Mit diesem Gedanken wendet sich der hethitische Beter an seinen Gott [133]:

Vater und Mutter habe ich nicht, du mein Gott, bist mir Vater und Mutter.

Aus dem alten Ägypten ist uns ein Text überliefert, in dem der König von Ober- und Unterägypten, der hier ausdrücklich im Sinne des Sakralherrschertums als Gott bezeichnet ist, zugleich „Vater und Mutter" der Menschen genannt wird [134]:

Er ist ein Gott, durch dessen normative Handlungen man lebt, Vater und Mutter aller Menschen, einzig durch sich, ohne seinesgleichen.

Dieser komplementäre Dualismus fand sich auch bei den Azteken, die ihren obersten Himmelsgott häufig mit „Herr der Zweiheit" und „Frau der Zweiheit", Ometecutli und Omeciuatl, ansprachen. Die Tenrikyō, die „Lehre von der himmlischen Vernunft", eine der neuen Religionen Japans, differenziert nicht einmal hinsichtlich der Namen. Sie bezeichnet vielmehr ihren Gottesbegriff zusammenfassend mit Oyagami, „Elterngottheit", und sie tut dies, eigenen Angaben zufolge, um die elterliche Liebe Gottes zum Ausdruck zu bringen [135].

Dieser komplementäre Dualismus ist übrigens nicht ohne weiteres bei den noch viel zu wenig erforschten *Zwillingsgottheiten* vorauszusetzen, wenn auch bekannte Beispiele wie die griechischen Dioskuren und die indischen Ashvins, die bei Sonnenaufgang in einem rossegezogenen Wagen am Himmel erscheinen, darauf schließen lassen könnten. Neben dem Motiv der Einheit findet sich aber mit Sicherheit auch das der Entfremdung, also ein *antithetischer Dualismus,* wie er etwa in den Zwillingsmythen der Irokesen und Huronen auftritt [136].

Auf einige typische Gestalten des Polytheismus ist noch kurz einzugehen.

Personale Verkörperungen der *Sonne* und ihrer Macht sind weltweit verbreitet, als Götter wie auch als Göttinnen [137]. Bekannte Sonnengötter sind der indische Sūrya [138], der sumerische Utu und der babylonische Schamasch. Im alten Ägypten galt Re als Sonnengott, in der Epoche des Königs Echnaton (ca. 1370–1352 v. Chr.) der Gott Aton [139]. Dem griechischen Helios [140] entsprach der römische Sol. Von den Azteken Mexikos wurde Tonatiuh als Sonnengott verehrt, von den Inka der Gott Inti. Bekannte Sonnengöttinnen sind die japanische Amaterasu, die churritische Chepat, die südarabische Schams und die lettische Saule. Für die germanische Religion ist im zweiten Merseburger Zauberspruch eine Göttin Sunna bezeugt. Diese Übersicht zeigt, daß oft der Name der Sonnengottheit identisch ist mit der Bezeichnung des Himmelskörpers.

Im Vordergrund der Sonnenverehrung standen, zumal in tropischen Ländern, in denen die Fruchtbarkeit primär dem Regen zugeschrieben wird, nicht vegetative Aspekte, sondern derjenige des Lichtbringers, der den neuen Tag heraufführt. Diese tägliche Rückkehr der Sonne wurde nicht naturgesetzlich verstanden, sondern als jeweils neues Ereignis angstvoll erwartet. So erscheint die Sonne stets aufs neue als siegreicher Kämpfer gegen die Finsternis und ihre Dämonen, und, wie der Psalmist sagte [141], sie

freut sich wie ein Held zu laufen den Weg.

Die Vorstellungen über den Weg der Sonne sind uneinheitlich. Häufig findet sich die Fahrt im Sonnenwagen oder im Sonnenschiff, die die Sonnengottheit nachts in der Unterwelt, am Tage aber am Himmel unternimmt. Daneben ist das Bild des fliegenden Vogels gebräuchlich. So ist die Wildgans Symbol des indischen Sūrya, und ein aztekischer Text bezeugt [142]:

Die Sonne ist der Adler mit den feurigen Pfeilen, des Jahres Herr und Gott.

Bemerkenswert ist, daß gerade dort, wo wir über historische Entwicklungen gut unterrichtet sind, aufgezeigt werden kann, daß die Sonnengottheit erst *allmählich eine vorrangige Stellung* gewann. So ist der indische Sūrya zwar bereits in den Veden bezeugt, doch tritt er erst im älteren Hinduismus stark in den Vordergrund.

Der Hochgott des Alten Reiches der ägyptischen Geschichte war zunächst der falkengestaltige Horus. Theophore Namen verweisen seit der 2. Dynastie auf einen Aufstieg des heliopolitanischen Sonnengottes Re, der dann in der 5. Dynastie, die den Sonnenglauben zur Staatsreligion erhebt, an die Spitze des Pantheons tritt [143].

Im Inka-Reich galt zunächst Viracocha als höchster Gott. Die Indianer nannten ihn „Schöpfer und Anfang aller Dinge" [144]. Erst in der Regierungszeit des Inka Pachacutic (1438–1471) – „Weltenwende" bedeutet dieser programmatische Thronname – wurde Inti, die „Sonne", zur obersten Gottheit des Reiches [145].

Schließlich ist bemerkenswert, daß auch im Römischen Reich die vorrangige Verehrung der Sonne, der Kult des Sol invictus eine relativ späte Erscheinung war; Elagabal (218–222) ist der erste Kaiser gewesen, der ihm als Priester diente [146].

Vornehmlich in Jägerkulturen wird als *Herr der Tiere* ein Wildgeist
verehrt, der als Besitzer und Hüter der Jagdtiere gilt, die er den
Jägern vorenthält, wenn diese mutwillig töten oder erlegtes Wild un-
ehrbietig behandeln. Andererseits aber führt er seine Tiere den Jägern
zu, wenn diese die mit der Jagd verbundenen rituellen Handlungen
vollziehen, deren bekannteste das arktische *Bärenfest* ist. Vielfach findet sich die Vorstellung, daß die Seelen der getöteten Tiere zum Herrn
der Tiere zurückkehren und von ihm ihre Körper zurückerhalten. Als
Wohnung des Herrn der Tiere gelten Bäume, Wälder, Berge und Höhlen, bei Küstenjägern auch der Meeresgrund. Meist wird dieser Geist
des Wildes männlich vorgestellt. Gelegentlich findet sich aber auch der
Glaube an eine Herrin der Tiere, die terminologisch meist mit dem
griechischen Begriff *pótnia therōn* bezeichnet wird [147]. –

Schließlich ist eine recht eigentümliche Gestalt des Polytheismus zu
erwähnen, der Typ nämlich des unberechenbaren, schelmischen, betrü-
gerischen, gaunerischen Numens, für das der Terminus *Trickster,*
„Schwindler, Gauner", zu einem festen Begriff geworden ist [148]. Oft
tritt der Trickster als Widersacher eines gütigen Gottes auf. Der germanische Loki trägt Züge der Trickster-Gestalt, ebenso aber auch der
Mephisto in Goethes ›Faust‹. Vornehmlich findet sich dieser Typ jedoch in indianischen Religionen. Im aztekischen Bereich kann ihm der
Gott Tezcatlipoca, der „rauchende Spiegel", zumindest teilweise zugeordnet werden. Ein aztekisches Zeugnis über Tezcatlipoca gibt eine
geradezu klassische Beschreibung des Tricksters [149]:

Wenn er auf der Erde war, erweckte er Mißhelligkeiten und Zwietracht,
brachte Unglück, drängte sich zwischen die Leute. Alles Böse, was über die
Menschen kam, schuf er, brachte er herab, ließ er ankommen, ließ er die Menschen empfangen. Er trieb sein Spiel mit den Leuten. Aber bisweilen gab er
ihnen auch Reichtum und Besitz, Kriegerrang, Häuptlingsrang, Fürstenrang,
Königswürde, Prinzenrang, Ehrenstellung. –

Fragt man nach den *Prinzipien der Formung* eines polytheistischen
Pantheons, so kann man mit der radikalsten und einseitigsten Theorie
beginnen. Sie ist die des *Euhemerismus.* Euhemeros von Messene hatte
sie um 300 v. Chr. in einem Reiseroman veröffentlicht. Aus einer auf
der sagenhaften Insel Panchaia angeblich befindlichen Inschrift, die die
irdischen Taten der griechischen Götter Uranos, Kronos und Zeus ver-
zeichne, wollte Euhemeros den Schluß ziehen, daß der Götterglaube
aus der Verehrung irdischer Herrscher oder Weiser früherer Zeiten
entstanden sei. Es ist umstritten, ob Euhemeros damit eine Kritik des
Götterglaubens oder eine Ironisierung des Herrscher- oder Heroen-
kults beabsichtigte. Seine Schrift wurde von Diodor tradiert und von

dem römischen Dichter Ennius ins Lateinische übersetzt. Christliche Apologeten verwandten die euhemeristische Theorie in der Auseinandersetzung mit dem heidnischen Polytheismus.

Eine Theorie über die Entstehung eines religiösen Phänomens hat nur dann wissenschaftlichen Wert, wenn sie historisch zu verifizieren ist. Das ist beim Euhemerismus nur in begrenztem Maße der Fall, und damit ist seine Allgemeingültigkeit widerlegt. Zwar ist das Phänomen der Vergöttlichung lebender oder toter Herrscher unbestritten, jedoch findet sich auch die gegenteilige Erscheinung einer *Heroisierung* einstiger Götter. Sie ist ganz typisch für die irische Sagenwelt, in der nach der Christianisierung die depotenzierten Götter als Herrscher und Helden auftreten.

In der Mehrzahl aller Fälle läßt sich dort, wo unsere historische Kenntnis beginnt, nur das bereits fertige Dasein polytheistischer Gottheiten feststellen. Für ihre Bildung aber sind, wo sich diese verfolgen läßt, noch andere als die euhemeristischen Entwicklungen nachweisbar. Eine wachsende Gestaltenfülle des polytheistischen Pantheons beruht häufig auf *Götterspaltung* [150]. Diese kann in einer Geschlechtsdifferenzierung bestehen. Sie liegt aber auch vor, wenn die Fülle der Funktionen eines Hochgottes zu Spezial- oder *Sondergöttern* [151] verselbständigt und von ihm astrale und atmosphärische Numina, Götter des Schicksals und des Eides sowie Fruchtbarkeitsgottheiten abgetrennt werden und der Hochgott selbst zwar weiterhin, meist als Schöpfer, anerkannt wird, jedoch für das Frömmigkeitsleben an Bedeutung verliert.

Oft zu beobachten ist ferner ein Prozeß, durch den göttliche Qualitäten personale Eigenständigkeit gewinnen und zu *hypostasierten* Wesen werden [152]. Hu und Sia, „Ausspruch" und „Verstand", sind in der ägyptischen Religion göttliche Schöpferqualitäten, die in dieser Weise verselbständigt wurden. Sie wurden daher mit dem Götterdeterminativ geschrieben, und in späteren Texten erscheinen sie als Kinder des Sonnengottes Re.

Auch *abstrakte Begriffe* können in den Rang von Göttern erhoben werden. Dieser Vorgang ist vor allem für die römische Religion charakteristisch geworden. Kurt Latte sprach von einem „Kult von Wertbegriffen" [153]. Als Gegenstand der Verehrung blieben sie freilich so nüchtern und farblos, wie es die Götter Roms generell gewesen waren, ehe etruskische und griechische Anschauungen ihnen lebensvollere Züge verliehen hatten. Zu diesen vergöttlichten Begriffen zählten: Fortuna, „das glückliche Geschick", Victoria, „der Sieg", Spes, „die Hoffnung", Concordia, „die Eintracht", Fides, „die Treue", Mens,

„der Verstand", Securitas, „die Sicherheit", vor allem die des Staates, und Aeternitas, „die Ewigkeit".

Die chinesische Religion kennt, wenn auch nicht in so zahlreichen Einzelfällen, einen analogen Vorgang. Ho-lo, „Friede und Eintracht", und Hsi-kuei, „Freude und Ehre", wurden von ihr zu Gottheiten erhoben [154].

Ein polytheistisches Pantheon ist keine statische Größe. Es kann *Erweiterungen* durch die Aufnahme neuer Götter erfahren. So sind die Orts- und Gaugötter Ägyptens in der Reichseinigungszeit sukzessive zu einem großen Pantheon zusammengefügt worden [155]. Das frühe Indogermanentum des Ostens zeigte deutliche Merkmale einer Überwucherung durch fremde Gottheiten [156].

Eine extreme Situation hinsichtlich der Aufnahme fremder Götter bestand im Hethiterreich. Neben hethitischen Gottheiten, unter denen die Sonnengöttin von Arinna, „welche die Regierung des Königs und der Königin von Chatti lenkt", die erste Stelle einnahm, standen Gottheiten protochattischer, churritischer und luwischer Herkunft. Sie besaßen im Lande ihre eigenen Tempel, sie hatten ihre eigene Priesterschaft, ihre ursprüngliche Kultsprache war beibehalten worden [157]. Von einem irgendwie geordneten Pantheon konnte dabei nicht mehr die Rede sein. Vielmehr handelte es sich um die Erscheinung des *Synoikismus*, des friedlichen „Zusammenwohnens" verschiedener Religionen auf gleichem Raum.

Neben Erweiterungen und Überschreitungen des Pantheons trägt zu dessen dynamischem Charakter die *Deplacierung* von Gottheiten bei. Sie ist vor allem gekennzeichnet durch das Phänomen der *steigenden und sinkenden Numina.*

Der *Aufstieg* erfolgt oft durch Übernahme der Qualitäten anderer Gottheiten oder durch synkretistische Vereinigung mit ihnen. Unter dem ägyptischen König Phiops I. (3. Jt. v. Chr.) wird eine Entwicklung eingeleitet, die unter Sesostris I. (1971–1928 v. Chr.) ihren Abschluß findet. Der aus dem Ostdelta stammende Gott Osiris gewinnt eine wachsende Einflußnahme auf Abydos, die alte Königsnekropole der thinitischen Zeit, wo er an die Stelle des alten Totengottes Chenti-Imentiu, des „Ersten der Westlichen", tritt und dessen Qualitäten übernimmt. Damit beginnt der Aufstieg des Osiris [158].

Hammurabi (1728–1686 v. Chr.) und seine Dynastie haben wesentlich die Verehrung des Stadtgottes von Babel gefördert, der Marduk hieß und ursprünglich ein nicht sonderlich bedeutsames Numen des Frühlings war. Literarisches Zeugnis seiner Erhöhung ist das babylonische Weltschöpfungsepos Enūma eliš. In ihm nimmt Marduk die

Stelle eines siegreichen Kämpfers gegen die Mächte des Chaos und eines
Ordners dieser Welt ein. Nach Abschluß seines Werkes wird Marduk
von den anderen Göttern gefeiert. Sie verleihen ihm fünfzig göttliche
Namen. Hierdurch wird Marduk mit deren ehemaligen Trägern identifiziert. Diese *Gleichsetzungstheologie* dient sowohl seiner Erhöhung
als auch der Reduktion der riesigen Götterzahl des überkommenen
Pantheons [159].

Artemis, ursprünglich eine „Herrin der Tiere", erscheint auf einer
aus Smyrna stammenden Inschrift des 2. oder 3. nachchristlichen Jahrhunderts als Göttermutter und Himmelskönigin, als eine den ganzen
Kosmos durchwaltende Gottheit [160]. Der Weg ihres Aufstiegs führte
über ihre schwesterliche Zugesellung zu Apollon, ihre Verbindung mit
der iranischen Anāhitā und ihre Verschmelzung mit der Diana der
Römer [161].

Den aufsteigenden korrespondieren *sinkende Numina*. Nach hethi-
tischer Auffassung hausen die „früheren Götter" in der Unterwelt. Der
Gestaltwandel führt oft vom himmlischen zum chthonischen Numen.
Schließlich ist Unsterblichkeit kein Charakter indelebilis aller polytheistischen Gottheiten. Der *Göttertod* kann *temporär* sein. Die Frucht-
barkeitsgötter, vor allem des Vorderen Orients, sterben im vegetativen
Kreislauf der Natur und werden mit ihm zu neuem Leben erweckt.

Vom Göttertod als temporärem Ereignis ist die *eschatologische Er-
wartung* eines katastrophalen Endes der Götter zu unterscheiden.
Ragnarök, das letzte Geschick der nordischen Götter, bringt mit dem
Weltende auch ihren Untergang.

Der *definitive Göttertod* kann auch als *zeitgeschichtliches Ereignis*
erlebt werden. Dies ist meist dann der Fall, wenn eine missionierende,
monotheistische Religion den Polytheismus überwindet. In der Olaf-
Saga wird das Ende des germanischen Gottes Thor berichtet. Olaf
Tryggvason (995–1000), der Norwegen christianisierte, nimmt den
zunächst unerkannten Thor an Bord seines Schiffes. Der Gott berichtet
seine guten Taten, die er in Norwegen vollbrachte, und schließt mit
den Worten [162]:

Das Volk dieses Landes blieb dabei, mich um Beistand anzurufen, wenn es
nottat, bis du, König, alle meine Freunde vernichtet hast, was wohl der Rache
wert wäre!

Und die Saga fährt unmittelbar fort:

Dabei schaute er auf den König und lächelte bitter, indem er sich schnell über
Bord stürzte, als wenn ein Pfeil ins Meer schösse, und niemals sahen sie ihn
wieder.

Und doch ist dieser Untergang oft nur eine *Metamorphose*. Gewiß, die germanischen Götter sind als Götter bedeutungslos geworden, und Odin wird nicht mehr als großer Herr der Asen verehrt. Aber die „Religion der Tiefe" nahm ihn auf. In jenem Bereich, den zuerst Wilhelm Schwartz als *niedere Mythologie* bezeichnete [163], in der „religiösen Halbwelt", von der Rudolf Otto sprach [164], lebt seine Gestalt weiter als die des wilden Jägers, der mit seinem Geisterheer des Nachts die Lüfte durchzieht.

Das Wort des Novalis, das für Zeiten gilt, in denen die Religionskritik den Monotheismus in Frage zu stellen sucht, bewahrheitet sich auch bei der Verdrängung des Polytheismus:

Wo keine Götter sind, walten Gespenster.

DER MYTHOS

Wo jetzt nur, wie unsre Weisen sagen,
Seelenlos ein Feuerball sich dreht,
Lenkte damals seinen goldnen Wagen
Helios in stiller Majestät.

Diese Verse aus Schillers Gedicht ›Die Götter Griechenlands‹ sind nicht allein ein wehmütiger Rückblick auf ein "Paradise Lost", sie vermitteln vielmehr auch eine sehr klare Gegenüberstellung zweier völlig unterschiedlicher Sichtweisen unserer Welt. Es ist, wenn man zu einer Wesenserfassung des Mythos gelangen will, besser, den zweiten Teil dieser dichterischen Aussage in positiver Weise darzulegen, als vom ersten Teil auszugehen und damit zu einer negativen Beschreibung dessen zu gelangen, was Mythos ist; dann nämlich wäre Mythos nichts als eine phantasievolle Aussage, die deshalb unverbindlich und letztlich nutzlos ist, weil sie in allem restlos dem widerspricht, was die moderne Naturwissenschaft als unumstößliches Gesetz zu erkennen vermeint.

Raffaele Pettazzoni hat, ohne sich damit zu identifizieren, diese rationale Sicht treffend charakterisiert [165]:

Die geltenden Ansichten verweisen den Mythos in das Reich der Phantasie, sie stellen ihn in eine der Wirklichkeit fremde, sogar entgegengesetzte Welt. Die Götter als Gestalter des Mythos sind für uns Fabelwesen, und wir glauben nicht an sie.

Aus dieser Sicht des Mythos werden leider nur allzuoft Folgerungen gezogen, die seiner Wesenserfassung im Wege stehen, weil sie einseitig darauf bedacht sind, den Mythos zu kritisieren. Macht man jedoch wirklich Ernst mit der sicher richtigen Behauptung von der absoluten Andersartigkeit des mythischen gegenüber dem rationalen Denken, so ergibt sich logischerweise hieraus die Unsinnigkeit, den Mythos aus der Sicht eines rationalen Weltbildes – und das heißt einer inkommensurabelen Größe – kritisieren zu wollen. Es ist dies ebenso sinnwidrig wie der Versuch, zwischenmenschliche Beziehungen, die durch Begriffe wie Vertrauen, Liebe, Pflicht und Verantwortung charakterisiert sind, dem Gesichtspunkt rechtlicher Vereinbarungen zu unterwerfen. In beiden Fällen nämlich wird der schlechthin entscheidende existentielle Bezug übersehen. Ugo Bianchi hat dies für den Mythos in folgender Weise herausgestellt [166]:

... es ist zu unterscheiden zwischen dem Mythos als ... einer reinen, vielleicht auch großartigen Erzählung und dem Mythos als einer dem Leben verbundenen Erzählung, zwischen dem unterhaltsamen und fesselnden und dem gültigen Mythos, der unmittelbaren und greifbaren Bezug zu einer lebendigen Ideologie hat. Vom religionsgeschichtlichen Standpunkt aus ist ein Mythos, der aus einer aus jedem existentiellen Zusammenhang gelösten Erzählung besteht und auf eine schöne Fabel beschränkt ist, weit entfernt von seiner eigentlichen Fülle. Dort, wo der Mythos Gültigkeit besitzt, ist er dem Leben und der Ideologie verhaftet, ja, er ist ein wesentlicher Bestandteil von ihnen, und in ihm spiegelt sich in gewisser Hinsicht die ideologische und existentielle Erfahrung der Völkerschaft, die ihn ihr eigen nennt.

Die *existentielle Bedeutung* für eine Welt, die im mythischen Denken lebt, entzieht den Mythos einer negativen Kritik seitens der Ratio, sie enthebt ihn aber auch, und das kann hinzugefügt werden, den gelegentlich auftauchenden Versuchen, mythische mit naturwissenschaftlichen Aussagen harmonisieren und damit die Wahrheit des Mythos in ganz überflüssiger Weise stützen zu wollen.

Dies alles aber bedeutet nun keineswegs, daß der Mythos jeglicher Beurteilung und Wertung entzogen sei. Vielmehr ist die legitime Basis einer Auseinandersetzung mit dem Mythos ein in gleicher Weise religiöser, ebenso die gesamte Existenz des Menschen betreffender Bereich, nämlich *das monotheistische Bekenntnis*.

Der Monotheismus kann sich in zweifacher Weise mit dem Mythos auseinandersetzen. Einmal, indem er die Ohnmacht seiner Gottheiten verkündet. Paulus schreibt im 1. Korintherbrief (8, 4), „daß kein Götze in der Welt ist, und daß es keinen Gott gibt außer dem einen". Dies ist die radikale Haltung des Monotheisten: die Götter haben keine Macht, denn sie existieren nicht.

Daneben steht die Dämonisierung der mythischen Gottheiten. Auch sie findet sich in einer bezeichnenden Aussage des Apostels Paulus [167]:

Aber ich sage, was die Heiden opfern, das opfern sie den Teufeln und nicht Gott. Nun will ich nicht, daß ihr in der Teufel Gemeinschaft sein sollt.

Dies ist die einzige dem Monotheismus mögliche Behandlung vorgefundener Götter, sofern er deren Existenz nicht schlechthin verneint, und sie dürfte, aufs Ganze gesehen, die in der Religions- und Missionsgeschichte am häufigsten realisierte sein.

König Ahasja zog sich den Zorn des Propheten Elia zu, weil er nach einem Sturz Boten beauftragte, den Gott der Stadt Ekron zu fragen, ob er von seiner Krankheit genesen werde. Dieser Gott hieß Ba'al-zebul, „Götterfürst". Das Alte Testament depotenziert diesen heidnischen Gott durch eine lautlich geringfügige, sachlich aber gewichtige Änderung seines Namens in Ba'al-zebub, „Gott der Fliegen", unseren Beelzebub [168], und das Neue Testament kennt eine vollständige Dämonisierung, wenn es ihn als Obersten der Teufel, als „Archonten der Dämonen" bezeichnet [169].

Diese prinzipielle Einstellung ändert sich nicht, wenn ein alter Mythos, wie etwa derjenige vom urzeitlichen Drachenkampf, lediglich als Vehikel für eine Aussage über das historische Handeln des einen monotheistischen Gottes dient [170] oder wenn alte Götter depotenziert, der Macht eines Höheren unterstellt werden, wie das im Bericht der Genesis (6, 1–4) über die Engelehen geschieht.

Die Mythenkritik des Monotheismus richtet sich stets gegen die *Götter des Polytheismus,* und sie trifft damit den entscheidenden, auch für eine wissenschaftlich positive Begriffsbestimmung von Mythos wesentlichen Charakterzug. Denn die vom Mythos als real vorausgesetzte Wirklichkeit betrifft die Existenz der Götter. Der Mythos ist Wort, Geschichte, Erzählung vom Handeln der Götter; er berichtet von ihrem Wirken im Himmel, auf der Erde und in der Unterwelt. Als Göttergeschichte steht der Mythos auf dem Boden des Polytheismus.

Dies gilt natürlich auch dann, wenn in einem Mythos nur vom Handeln eines einzigen Gottes die Rede ist, wie etwa in den zitierten Versen Schillers vom Sonnengott Helios. Denn die Begrenzung dieses Gottes auf einen bestimmten Wirkungskreis widerspricht der Universalität des monotheistischen Gottes; sie ordnet Helios ein in die Gemeinschaft anderer Götter mit anderen Funktionen, also in ein polytheistisches Pantheon.

Das mythische Handeln der polytheistischen Götter ist *Geschichte.* Pettazzoni schrieb über den Mythos [171]:

... er ist nicht Fabel, sondern Historie, d. h. „wahre Geschichte" und nicht „falsche Geschichte". Das wahrhaftige Wesen des Mythos ergibt sich aus seinem Inhalt, indem er aus Berichten über tatsächlich vorgefallene Geschehnisse besteht, beginnend mit den großartigen Ereignissen der Welt-Entstehung: so hören wir vom Ursprung der Welt und der Menschheit, vom Ursprung des Lebens und des Todes, vom Ursprung der Tier- und Pflanzengattungen, der Jagd und des Feldbaues, vom Ursprung des Feuers, des Kulturlebens und der Initiationsriten, aber auch vom Ursprung der schamanistischen Gesellschaften und ihrer heilkundigen Kräfte. Es sind das weit in der Zeit zurückliegende Geschehnisse, die den Anfang des gegenwärtigen Lebens bedeuten, ihm seine Grundlagen gaben. Aus diesen Geschehnissen leitet sich die gegenwärtige Gesellschaftsstruktur her, und bis auf den heutigen Tag hängt alles von ihnen ab.

Der Geschichtscharakter des Mythos bedingt den engen Zusammenhang zwischen einstigem göttlichen Handeln und menschlicher Geschichte. In Enūma elisch, dem babylonischen Weltschöpfungsepos, geht die Schilderung der kosmogonischen Ereignisse unmittelbar über in den Bericht über die Gründung der Stadt Babylon [172]. Der Turiner Königspapyrus schließt den irdischen Sakralkönig bruchlos an die Reihe der am Anfang der ägyptischen Geschichte als Herrscher stehenden Götter an [173].

Die enge Verbindung zwischen menschlicher und göttlicher Sphäre, die das mythische Denken vollzieht, findet auch darin Ausdruck, daß sich das göttliche Wirken nach Analogie menschlichen Handelns vollzieht. Der Sonnengott fährt wie ein großer Herr im Wagen oder im Schiff, der ägyptische Chnum bildet Menschen und andere Geschöpfe auf seiner Töpferscheibe, Seth ermordet seinen feindlichen Bruder Osiris.

Und doch unterscheidet sich diese Konkretisierung mythischer Ereignisse dadurch wesentlich von einem Handeln in menschlicher Begrenzung, daß das mythische Geschehen *normativen Charakter* trägt. Es schafft die Welt, es setzt Ordnungen, die dauernden Bestand haben, es verweist auch auf Gegensätze, die ewige Gültigkeit besitzen. Das einmalige Geschehen im Mythos hat fortdauernde Bedeutung.

Damit ist der Begriff der Geschichte im mythischen Verständnis entscheidend qualifiziert. Der Mythos ist *Prinzip* im Sinne des Ersten, des Ursprungs und Ausgangspunktes und damit Geschichte; er ist zugleich aber Prinzip im Sinne des Grundsatzes, der sachlichen Begründung [174]. Angelo Brelich hat dies mit anderen Worten so ausgedrückt [175]:

Die Hauptfunktion des Mythos ist, wie wir heute alle wissen, ursprünglich die, daß er die Wirklichkeit und die menschlichen Einrichtungen *begründen* soll; deshalb soll er über die Ursprünge berichten, indem er sie auf die mythische Zeit zurückführt, in der sie ein für allemal entstanden sind. Nur weil die jetzige Ordnung in einer heiligen Zeit und durch übermenschliche, in jener Zeit tätige Wesen entstanden ist, hat sie dauerhaften Wert erworben.

Diese Feststellungen lassen den *Begriff* des Mythos eindeutig definieren. Geht man aus vom „Wort" als der ursprünglichen Bedeutung im Griechischen, so ist der Mythos definitives, letztgültiges Wort, dessen Inhalt Tatsächliches, wirklich Geschehenes, ein wahrer Sachverhalt ist. Er ist autoritatives Überlieferungswort, dessen Ausdruck affirmativen Charakter trägt. Argumentation oder gar Apologetik sind ihm fremd.

Der Mythos stellt keine Betrachtung dar, sondern eine Aktualität. Es gehört zu seinem Wesen, daß er kraftgeladenes Wort ist. Daher birgt die Wiederholung des Mythos durch die Erzählung ebenso ein

Element der Gestaltung in sich wie die dramatische Repristination insbesondere der Schöpfungs- und Fruchtbarkeitsmythen bei Gelegenheit der Feste und Feiern.

Der Charakter des kraftgeladenen, wirkungsstarken Wortes steht einer veralteten Ansicht entgegen, nach der es primäre Aufgabe des Mythos sei, Erklärungen, Begründungen bestehender Verhältnisse zu bieten. Man wird daher bei einer *Typisierung der Mythen* neben ihrer ätiologischen Funktion die gestaltende Macht ins Auge zu fassen haben. Vom Werden der Götter berichtet der *theogonische* Mythos. Der *kosmogonische* gilt der Entstehung des Kosmos und den Bedingungen seiner Existenz. An diese Weltschöpfungsmythen schließen sich zumeist *anthropogonische* Berichte an sowie solche, die von der Schöpfung und den Existenzbedingungen der belebten und unbelebten Natur, der uranischen und atmosphärischen Erscheinungen berichten. Im *Urstandsmythos* werden die menschlichen Lebensbedingungen und die Setzung irdischer Ordnungen begründet. Zwischen diesen Ordnungen einer frühen, paradiesischen Zeit und der Gegenwart besteht oft ein durch menschliche Schuld von den Göttern herbeigeführter Bruch, von dem in *Transformationsmythen,* vornehmlich denen von einer Sintflut, berichtet wird. *Fruchtbarkeitsmythen* haben meist Tod und Auferstehung einer Gottheit zum Inhalt; ihre kultische Wiederholung soll den vegetativen Jahreskreislauf sicherstellen. In *Auseinandersetzungsmythen* treten Götter als Widersacher gegeneinander auf; so etwa im ägyptischen Streit des Horus und Seth oder in der Beschimpfung der germanischen Götter durch Loki. Der *soteriologische* Mythos berichtet von göttlicher Hilfe, die den Menschen zuteil wird. Vom Weltende, seinen Voraussetzungen und dem Ablauf seiner Ereignisse handelt der *eschatologische* Mythos. –

Fragt man nach der Entstehung des Mythos, nach der *Mythenbildung* also, so sind zunächst zwei Hypothesen abzuweisen, die modern, nichtsdestoweniger aber falsch sind.

Das ist einmal die *psychologische* Mythendeutung. Sie ist, stärker als durch Freud selbst, angeregt und geprägt worden von dessen Schüler Carl Gustav Jung, der im Mythos den Ausdruck archetypischer, überindividueller, sich in Träumen offenbarender Lebenswahrheiten sah [176]. Was schon als Kritik zu animistischen Religionstheorien zu sagen war, könnte hier im Prinzip wiederholt werden. Doch genügt es, auf Walter F. Otto zu verweisen, der über tiefenpsychologische Deutungsversuche des Mythos in affektvoller Diktion schrieb [177],

daß hier die angebliche Tiefe der Menschenseele an die Stelle der Tiefe der Weltwirklichkeit treten soll. Dies ist der gefährlichste Abweg. Denn diese

Psychologie kommt der fatalen Selbstbespiegelung des modernen Menschen auf die verführerischste Weise entgegen … es ist gar nicht wahr, daß die in Rede stehenden Traumbilder mit den Gestalten des Mythos vergleichbar oder gar identisch sind. Die tiefenpsychologische Mythendeutung bewegt sich in einem Zirkel: sie setzt voraus, was sie nachzuweisen glaubt. Sie geht von einem vorgefaßten Begriff des Mythischen aus, um ihn in den Traumvisionen bestätigt zu finden. Und dieser Begriff beruht auf einem Mißverständnis.

Die *soziologische* Mythenkritik kann nicht generell der Soziologie angelastet werden, sondern innerhalb dieses über seine eigenen Ziele und Methoden zerstrittenen Faches [178] nur jener Gruppe, die das Soziale als überwertige Größe versteht. Ihr Standpunkt ist rein sachlich und *sine ira et studio* als derjenige zu verstehen, den in Goethes ›Faust‹ der Mephisto einnimmt, wenn er bekennt [179]:

> Von Sonn' und Welten weiß ich nichts zu sagen.
> Ich sehe nur, wie sich die Menschen plagen.

Der große Spanier Ortega y Gasset hat uns gelehrt, daß die Soziologisierung unseres Denkens eine Last ist, die wir in unserer Zeit zu tragen haben [180]. Das trifft in erster Linie zu für eine soziologische „Weltanschauungsanalyse" und „Ideologiekritik", die in mythischen, wie überhaupt allen religiösen Aussagen, den ideologischen Überbau sozialer Gegebenheiten und damit situationsbedingte „Leerformeln" erblickt [181].

Diese Hypothese übersieht manches. Sie läßt die Frage unbeantwortet, warum ein etabliertes soziales System der angeblich nachträglichen Mythisierung überhaupt noch bedürfe. Sie vergißt vor allem in ihrem Bestreben, die geschichtsmächtige Wirkung großer Individuen im Kollektiv zu verstecken, den charismatischen Verkünder. Denn die Gesellschaft „produziert" nicht den Begnadeten, den Charismatiker. Ein Seher und Sänger des Mythos wie Homer war kein „Produkt" der mykenischen Adelsgesellschaft.

Sicher gehören *Fragen nach der Mythenbildung* deshalb, weil sie zumeist Geschehnisse aus sehr früher Zeit betreffen, zu den schwierigsten Problemen einer Phänomenologie des Mythos. Dennoch lassen sich geschichtliche Fakten aufweisen oder zumindest erschließen, die zur Mythenbildung geführt haben.

Im alten Sumer besaß ursprünglich jeder Stadtstaat seine eigene Gottheit, der bestimmte Qualitäten eigen waren. Dann aber ereignet sich etwas Entscheidendes. Einzelne Gottheiten erweisen sich als aufsteigende Numina, indem sie in zweierlei Hinsicht ihren Einflußbereich erweitern. Einmal dehnen sie ihre Macht aus auf andere Städte. Damit

aber usurpieren sie zugleich die Qualitäten der in jenen Stadtstaaten
zuvor verehrten Gottheiten. Die Göttin Inanna, ursprünglich eine
chthonische Gestalt, fährt nach Eridu zu Enki, dem Herrn der Weisheit, und raubt ihm göttliche Kräfte [182]. Der Mythos bringt einen
Machtzuwachs der Inanna und den Beginn ihrer Einflußnahme auf die
Stadt Eridu zum Ausdruck.

In der Götterreise wie im Götterbesuch, aber auch in Hochzeiten
oder Liebesbeziehungen von Gottheiten finden die Ausbreitung des
Kultes eines Gottes und seine Einbürgerung in einer ihm bislang frem-
den Stadt ihre mythische Form der Aussage. Wesentlich hieran ist folgendes. Es haben sich religionsgeschichtliche
Veränderungen ereignet. Der Mythos erhebt sie zu unwandelbarer,
ewiger Gültigkeit. Er bewältigt damit geistig, vornehmlich in einem
im Prinzip statischen Denken, historische Veränderungen, indem er sie
irdischen Wandlungen enthebt und ihnen die unveränderliche Geltung
göttlichen Handelns beimißt.

Vielleicht noch stärker als bei den Sumerern tritt im alten Ägypten
die Tendenz hervor, historischen Ereignissen, die sich nach geltender
Ansicht nicht hätten zutragen dürfen, ja nicht einmal hätten ereignen
können, durch Aufnahme in den Mythos ewig gültigen, statischen
Charakter zu verleihen [183]. Das Alte Reich war untergegangen in einer
Katastrophe großen Ausmaßes, die eine Zeit politischer Wirren ein-
leitete, aber auch zum Aufbruch neuer geistiger Bewegungen und einer
vertieften Religiosität führte. Diese betraf auch das Todesproblem und
das Jenseitsgeschick des Menschen.

Das Jenseitsbild des Alten Reiches war ganz von Diesseits bestimmt,
und demgemäß war das Bemühen des Menschen darauf gerichtet, einen
Teil des irdischen Lebens in den Tod zu retten [184]. In der Zeit zwischen
dem Alten und dem Mittleren Reich entstehen neben den überkommenen völlig neue Jenseitsvorstellungen. Ihre Verkündigung einer
Todesüberwindung in verklärter Unsterblichkeit wäre für das Denken
des Alten Reiches unmöglich gewesen.

Unmöglich erschien es vor allem, daß jetzt verschiedene Glaubensformen in Auseinandersetzung zueinander standen. Deshalb wurde
diese Auseinandersetzung durch ihre Aufnahme in den Mythos legitimiert, ihres geschichtlich einmaligen Charakters entkleidet und zu
ewiger Gültigkeit erhoben. Im 175. Kapitel des Totenbuches, einem
auf jene Zeit der geistigen Kämpfe zurückgehenden Text, hat der
Widerstreit der Jenseitsvorstellungen Aufnahme in ein Göttergespräch
gefunden [185].

In Vertretung des sterblichen, im Angesicht des Todesproblems skeptisch gewordenen Menschen tritt Osiris als Fragender vor den Gott Atum. Osiris fragt Atum nach dem Sinn des Todes, und er malt das düstere Bild eines Schattenreiches, dem die irdischen Lebensbedingungen fehlen:

O Atum, was soll es, daß ich in eine Wüste hinziehen muß? Sie hat doch kein Wasser, sie hat doch keine Luft, sie ist sehr tief, völlig dunkel und grenzenlos! ... in ihr kann man keine Liebesfreuden finden.

Es ist das neue Bild vom Jenseits, das Atum verkündet, wenn er dem Osiris antwortet:

Ich habe Verklärtheit gegeben anstelle des Wassers, der Luft und der Lust und Seligkeit anstelle von Brot und Bier.

Eine ähnliche Mythenbildung weist der Rigveda auf mit einem Gespräch zwischen den indischen Göttern Varuna und Indra, die in einem gewissen Gegensatz zueinander stehen [186]. Zunächst rühmt sich Varuna seiner Herrschaftswürde:

Die Herrschaft gehört aufs Neue mir, dem lebenslänglichen Fürsten ... Des Varuna Rat befolgen die Götter.

Doch Indra entgegnet ihm:

Mich rufen die Männer auf edlen Rossen an, wenn sie wettkämpfen, mich, wenn sie im Kampf bedrängt sind. Ich errege den Streit, ich, der freigiebige Indra, ich wirble Staub auf von überwältigender Stärke. Ich habe das alles getan, keine göttliche Macht hält mich, den Unwiderstehlichen, auf.

Daraufhin anerkennt Varuna die Macht Indras. Das Gespräch beider Götter ist ganz offensichtlich die Mythisierung des geschichtlichen Vorgangs einer wachsenden Bedeutung und Verehrung des kämpferischen Indra.

Ein letztes Beispiel für diese Form der Mythenbildung: in den Mythos von Susa-no-o und Amaterasu haben frühe Kämpfe der japanischen Geschichte Eingang gefunden, die zwischen den verfeindeten Bekennern dieser beiden Gottheiten ausgetragen wurden [187]. Die Verehrer des Sturmgottes Susa-no-o stellten die ältere politische Macht dar. Gegen sie rückten von Süden Eroberer vor, die die Sonnengöttin Amaterasu verehrten. Sie scheinen anfänglich keinen Erfolg gehabt zu haben. Denn die Sonnengöttin fühlte sich beleidigt von des Sturmgottes verheerendem Wirken und sie zog sich zurück in ihre „himmlische Felsenhöhle". Doch nun herrschte ewige Nacht, und es gelang den anderen Göttern, die Herrin der Sonne wieder aus ihrer Höhle herauszulocken. Susa-no-o aber wurde in die Unterwelt verbannt.

Aus einem derartigen Mythos schließen wir auf historische Vorgänge; er dient uns als *Geschichtsquelle*. Zugleich aber ist er ein *Zeugnis für die Mythisierung dieser historischen Vorgänge*. Wir können, wenn wir die früher erläuterte Unterscheidung zwischen Realisationen und Manifestationen religiöser Phänomene anwenden, hier von einer *Realisation* reden, von einer Verbindung irdischen Geschehens mit der Sphäre des Heiligen, durch die das religiöse Phänomen „Mythos" entsteht. Und als Initiatoren dieser Art der Mythenbildung sind vielleicht Priesterschulen anzunehmen.

Daneben aber haben wir auch mit spontanen *Manifestationen* des Phänomens „Mythos" zu rechnen, die sich als Offenbarungen in Visionen ereigneten [188], die verkündet wurden durch Seher und Sänger des Mythos, die in Gestalten wie Hesiod und Homer greifbar sind. Der Afrikanist Carl Meinhof hat an einem einleuchtenden Beispiel auf die Notwendigkeit dieser Annahme einer Manifestation des Mythos hingewiesen. Es verlohnt sich, seine Ausführungen hierüber in extenso zu zitieren [189]:

Es ist eine schwer zu beantwortende Frage, wie der Mensch dazu gekommen ist, auf den Genuß von Früchten und Knollen in nicht geringer Zahl zu verzichten, um sie in der Erde zu vergraben, in der scheinbar phantastischen Hoffnung, daß daraus neue Früchte und Knollen in größerer Anzahl entstehen werden. Ehe sich dieser Erfolg einmal gezeigt hatte, konnte man nicht wissen, daß er eintreten würde, und was uns so selbstverständlich und natürlich erscheint, ist an sich völlig geheimnisvoll. Auf rationalem Wege wird sich diese Erfindung kaum erklären lassen. Es werden also wohl auch hier religiöse Motive vorliegen. Dahin deutet die Tatsache, daß bei vielen Ackerbau treibenden Völkern sich der Mythos findet von Göttern und Heilbringern, die die Menschen den Ackerbau gelehrt haben, und darum ist noch heute bei Bauern alten Stils die Aussaat eine feierliche Handlung. –

Es ist abschließend noch die Frage nach dem *Verhältnis des mythischen zum rationalen Denken* aufzuwerfen und damit das Problem, ob der Mythos die existentielle Sphäre des modernen Menschen nicht mehr tangiere, ob er also heute tot sei.

Hierzu hat der deutsche Philosoph Erich Rothacker, mit der gern von ihm gepflegten leichten Ironie, das Folgende festgestellt [190]:

... hat doch noch nicht einmal der Physiker seine wissenschaftliche Erkenntnis so weit in sein lebendiges Verhalten hineingezogen, daß er, wenn er heiratet, je auf die Idee käme, einen vorwiegend aus Hohlräumen bestehenden Atomwirbel zu freien. Wenn wir sein Behavior wirklich genau beobachten, so heiratet er sogar weit eher eine Artemis oder Athene oder Charitin o. ä. Was sehr lehrreich ist für die faktische Struktur unserer Lebenswelt, so wie sie wirklich gelebt wird. Denn sie ist de facto noch heute voll von mythischen Bestandteilen.

Im Bereich der Religionswissenschaft ist der entscheidende Einsatzpunkt für die Erkenntnis, daß der *homo divinans* und der *homo faber* nicht verschiedenen Perioden mit gänzlich differenten Bewußtseinsebenen zuzuordnen sind, durch Lucien Lévy-Bruhls posthum veröffentlichten Widerruf seiner Theorie von der prälogischen Mentalität der Primitiven gegeben [191], und van Baaren hat die Einsicht in das Nebeneinander des mythischen mit dem naturwissenschaftlichen Weltbild bis zur Gegenwart verfolgt, wenn er schreibt [192]:

In allen prinzipiellen Fragen reagieren und handeln die Primitiven wie wir. Auch wir sind eine Mischung von rationalen und irrationalen Elementen.

Diese Zweigleisigkeit des Denkens, das Nebeneinander von rationalen und irrationalen Elementen, das wesentlich ist für das Verständnis mythischer Sichtweisen, kann an einer bezeichnenden Anekdote demonstriert werden.

Aus frühen marokkanischen Kämpfen wird erzählt, daß ein Frankreich befreundeter Scheich am Tage einer Sonnenfinsternis einem französischen Kapitän erklärte, er könne nicht kämpfen; denn – „Allah, gesegnet sei sein Name, hat seinen Mantel vor die Sonne gehängt". Der Kapitän erläuterte ihm den astronomischen Vorgang einer Sonnenfinsternis und fragte dann, ob er ihn verstanden habe. „Ja, du hast mich weiser gemacht." – „So rufe also deine Krieger!" – „Nein, Herr, das kann ich nicht; denn Allah, gesegnet sei sein Name, hat seinen Mantel vor die Sonne gehängt."

DIE HEILIGE ORDNUNG

Numinose Ordnungsbegriffe

Die Idee einer ganzheitlichen Ordnung, in die alles Irdische eingeschlossen ist, der Gedanke von einem den Makro- und Mikrokosmos lenkenden Weltgesetz wird in verschiedenen Religionen durch Termini zum Ausdruck gebracht, die wir nach dem Vorgang von Benno Landsberger „numinose Ordnungsbegriffe" nennen [193]. Sie bezeichnen das Prinzip einer kosmisch-ethisch-rituellen Ordnung der Welt, und sie sind, da der Bedeutungskreis, den sie begrifflich umschließen, umfassender ist als unsere auf die Ordnungen der Naturkräfte, des sozialen Lebens und des Kultus bezogenen Termini, schwer übersetzbar durch nur ein einziges Wort unserer heutigen Sprachen. Wenn wir sie versuchsweise mit „Weltordnung", mit „Wahrheit"", aber auch mit „Gerechtigkeit" oder „Korrektheit" wiedergeben, so sind das nur Teilaspekte einer umfassenderen Konzeption. Denn die numinosen Ordnungsbegriffe umschließen die im modernen Denken getrennten Bezirke des Sakralen und des Profanen, und sie sind damit Zentralbegriffe einer Weltanschauung des *Universismus* [194].

Numinose Ordnungsbegriffe stellen das eigentliche Agens dar, kraft dessen die Götter wirken. Auf Erden ist der Sakralherrscher Vertreter und Beschützer dieser höchsten Normen. Der Zerfall des universistischen Weltbildes, das Ende der Geschlossenheit einer archaischen Weltansicht mit ihrer transzendent-immanenten Koinzidenz nimmt dem numinosen Ordnungsbegriff seine überwertige Bedeutung. Er verschwindet dann entweder ganz aus dem Sprachgebrauch oder er steht nur noch für einen Teilaspekt seines ursprünglichen Bedeutungsreichtums. Meist ist er auf ethische und rechtliche Qualitäten eingeschränkt und wird öfters auch personifiziert gesehen in der Gestalt einer im allgemeinen weiblichen Gottheit, einer „segensreichen Himmelstochter", als die Schiller im ›Lied von der Glocke‹ die heilige Ordnung ansprach.

So galt die ägyptische *maat* nach ihrer Loslösung vom Weltgesetz als Tochter des Sonnengottes Re, den sie, am Bug seines Sonnenschiffes stehend, auf seiner täglichen Fahrt begleitet [195]. Im Alten Reich hatte sie die umfassende Bedeutung eines numinosen Ordnungsbegriffs, sie

war die geheime Ordnung, die in allen Erscheinungen dieser Welt
ebenso wie in den Göttern wirkt. Als Grundaxiom der ägyptischen
Weltanschauung stand sie in enger Verbindung zum Sakralkönig, der
„Vollstrecker der Maat" war [196]; der Sockel unter seinem Thron hatte
die Gestalt des hieroglyphischen Zeichens für Maat. Die Verpflichtung
zur Realisation der Maat war eine so starke Schranke für alles, was
man Willkür eines absoluten Herrschers nennen könnte, daß die Antike in den Pharaonen einsame Sklaven ihrer rituellen Verpflichtungen
zu sehen vermochte [197]. Auch für das Verhalten der Untertanen gegenüber dem König und für dessen Gunsterweisung war die Verwirklichung der Maat wesentlich.

Der numinose Ordnungsbegriff im alten Sumer hieß me [198]. Über
ihn schreibt J. van Dijk [199]:

Der Tempel, der sich gewaltig über der flachen Landschaft erhebt, besitzt
Me ... Der Krone des Königs, der die Untertanen mit seiner Autorität be-
zwingt, eignet ein Me; die Kleidung des Königs wird als „Me-Kleidung"
bezeichnet. Die Tempelrituale, Handlungen, die im Besitz einer besonderen
Kraft dem Heiligen gegenüber sind, und sakrale Institutionen sind Me. Sakrale Ämter sind Me. Sogar die kulturellen Gebräuche und Gewohnheiten,
mit deren Hilfe das Land Sumer regiert wurde und durch die der Zusammenhalt des Landes gesichert wurde, sind Me. Was wir „abstrakte Begriffe" nennen würden und was in vielen Sprachen grammatisch weiblichen Geschlechts
ist, das ist Me. Me war jedoch nicht eine Art „Fluidum"; es war das, was das
Wesen der Dinge ausmachte ...

Eine ähnliche Bedeutung dürfte im elamischen Bereich der Begriff
kiten besessen haben. Die Könige Elams galten als irdische Sachwalter
dieser numinosen Größe [200].

Eine schwankende, nicht immer eindeutig festgelegte Stellung zwischen der Bezeichnung des Höchsten Wesens und einem numinosen
Ordnungsbegriff nehmen das soghdische nom [201] sowie der Begriff sila
bei den Eskimos ein [202].

Mit Sicherheit als numinoser Ordnungsbegriff ist die altrussische
prawda anzusprechen. Emanuel Sarkisyanz hat das sehr deutlich herausgestellt [203]:

Das russische Ideal der „Prawda" hat einen ganz spezifischen Begriffsinhalt.
Dieses Wort für Wahrheit war zugleich ein Synonym für Gerechtigkeit und
drückt den Glauben an ein in der Weltordnung selbst objektiv enthaltenes
ethisches Urbild aus ... Der Begriff der Wahrheit, welcher im Worte Prawda
enthalten ist, deutet nicht auf Erkenntnis im Sinne des Erreichens eines Bewußtseins der Wirklichkeit, sondern weist ontologisch im alten religiösen
Sinne nach den konkreten Grundlagen des Seins ...

Auch der Prawda war die für numinose Ordnungsbegriffe häufig charakteristische Bindung an den Herrscher eigen; denn [204]:

In der politischen Theorie des Prawda-Staates war die Unterwerfung des Volkes unter den Willen des Selbstherrschers durch dessen Unterwerfung unter die Prawda bedingt. Somit war der Moskauer Autokrat ideell nicht nur Herrscher, sondern auch Untertan. Sowohl Herrscher als Volk sollten ihren Willen der Prawda unterordnen.

Eine bereits in indoiranischer Zeit ausgebildete Konzeption einer numinosen Ordnung erscheint in der vedischen Periode Indiens als das *rita,* dem, zumindest in vorzarathustrischer Zeit, die Begriffe *asha* im Awestischen und *arta* im Altpersischen entsprachen; mit Arta sind bekanntlich eine größere Anzahl altpersischer Eigennamen gebildet. Es ist mit gewissem Recht gefordert worden [205]:

Jede Darstellung der indischen und iranischen Religionsgeschichte sollte, statt mit einem beliebigen Götterwesen, mit der Klärung dieser Vorstellung anfangen.

Allerdings ist hierzu zu bemerken, daß nicht übersehen werden darf, in welch enger Beziehung das vedische Rita, das selbst niemals personifiziert wurde, den Göttern des Rechtes, vor allem Varuna, aber auch Mitra assoziiert war. An diese beiden Götter richtet sich in bezeichnender Weise ein Wort des Rigveda [206]:

Euer Rita, das hinter dem Rita versteckt ist, steht ewig fest dort, wo sie die Sonnenrosse ausspannen (d. h. im unsichtbaren Teil des Himmels).

Das vornehmlich von dem Gott Varuna gehütete Rita wird im Veda folgendermaßen beschrieben [207]:

Das rechte Rita hat der Gaben viele, die Erkenntnis des rechten Rita zerstört die Falschheit. Der Mahnruf des rechten Rita dringt durch die tauben Ohren der Menschen, zündend, wenn er verstanden wird. Das rechte Rita hat feste Grundlagen, viele glänzende Wunder zum Schauen. Durch das rechte Rita werden lange Zeit die Lebenskräfte in Bewegung gesetzt ... Wer am rechten Rita festhält, hat von dem rechten Rita Gewinn.

Hermann Oldenberg, der bedeutende Erforscher der vedischen Religion, hat Rita zusammenfassend charakterisiert [208]:

Die Vorgänge, deren stetes Sichgleichbleiben oder deren regelmäßige Wiederkehr die Vorstellung der Ordnung erweckt, gehorchen dem Rita oder ihr Geschehen ist Rita.

Rita ist also die Ordnung des Weltgefüges selber, das Prinzip dieses Geordnetseins, die bindende und zwingende Macht zur Ordnung [209]. Auf die Zeit der Veden folgt in der indischen Religions- und Geistesgeschichte die Epoche der Brāhmana-Texte. In ihr verliert das Rita seinen vollen Sinngehalt und verschwindet allmählich aus dem Sprachgebrauch [210]. Zunehmend tritt das bereits vedisch belegte Wort *satya* an seine Stelle, das auf die Bedeutung von „Wahrheit" festgelegt ist und somit nur den ethischen Aspekt des einstigen numinosen Ordnungsbegriffs Rita fortführt [211]. – Im Buddhismus wird die das Weltgeschehen beherrschende Ordnung im Sanskrit mit *dharma*, im Pāli mit dem Etymon *dhamma* ausgedrückt; auch die Lehrverkündigung des Buddha ist Dharma [212].

Nach altchinesischer Anschauung herrscht im Makrokosmos des Himmels und der Erde wie im Mikrokosmos des menschlichen Lebens ein durchgängiger Dualismus der beiden Prinzipien *yang* und *yin*. Dem männlichen Yang als dem aktiven, schöpferischen, lichten und warmen Element entsprechen Himmel, Sonne, Süden und die rote Farbe. Dem weiblichen Yin als dem passiven, dunklen und kalten Element entsprechen Erde, Mond, Norden und die schwarze Farbe.

Yang und Yin bilden gemeinsam das übergeordnete Prinzip des *tao*, den Zentralbegriff der universistischen Weltansicht des alten China, der wörtlich „Weg" bedeutet [213]. Der „Weg des Menschen", *jên tao*, soll in Einklang mit dem „Weg des Himmels", *t'ien tao*, stehen. In der harmonischen Erfüllung dieser Aufgabe besteht das Glück der Menschen. Schon in dem altchinesischen Li-ki, dem Buch mit den ›Aufzeichnungen über die Sitten‹, kommt dies zum Ausdruck [214]:

> Wenn es in uns nichts gibt, das nicht mit dem natürlichen Gesetz übereinstimmt, so nennt man das Vollkommenheit. Das besagt nach innen hin ein Vollkommensein im eigenen Selbst und nach außen hin die Gemäßheit mit dem Tao.

Das Ende der Geschlossenheit einer archaischen Weltansicht und mit ihm den Zerfall des numinosen Ordnungsbegriffs in Teilaspekte kritisierte Lao-tse im 18. Kapitel des Tao-te-king in offensichtlich ironischer Weise [215]:

> Das große Tao ward verlassen:
> so gab es Sittlichkeit und Pflicht.
> Klugheit und Erkenntnis kamen auf:
> so gab es die großen Lügen.
> Die Blutsverwandten wurden uneins:
> so gab es Kindespflicht und Liebe.
> Die Staaten kamen in Verwirrung und Unordnung:
> so gab es treue Diener.

Dieser Text, der die Vielheit moralischer Verpflichtungen in abwertender Weise dem obersten und umfassenden Gebot der Einfügung in die Ordnung des Tao konfrontiert, erinnert lebhaft an das Wort Nietzsches im 745. Fragment des ›Willens zur Macht‹:

Ein alter Chinese sagte, er habe gehört, wenn Reiche zugrunde gehen sollen, so hätten sie viele Gesetze.

Folgt man der Spätdatierung Lao-tses [216], so liegt es nahe, im zitierten 18. Kapitel des Tao-te-king eine Polemik gegen Konfuzius zu sehen, der das Prinzip des Tao auf den Bereich der Moral einschränkte und in diesem Sinne sagte [217]:

Wer am Morgen den richtigen Weg (das Tao) erkannt hat, könnte am Abend ruhig sterben.

Gegenüber einem ausschließlich ethischen Verständnis ist das ursprüngliche Tao, wie Heinrich Hackmann es formulierte [218],

der Schlüssel zu dem geheimnisvollen Ineinander von „Himmel und Erde", Tao bedeutet den Weg und die Methode, um die Harmonie zwischen Jenseitigem und Diesseitigem zu bewahren, indem das irdische Handeln durchaus dem entspricht, was die jenseitige Welt verlangt.

Makrokosmos und Mikrokosmos

Alt und weit verbreitet ist der den numinosen Ordnungsbegriffen nahestehende, mit ihnen aber nicht ohne weiteres identische Gedanke eines korrelativen Zusammenhangs der großen, äußeren Welt, des Makrokosmos, mit dem Mikrokosmos, der Lebenswelt des Menschen [219]. Danach entspricht alles irdische Sein und Geschehen einem überirdischen, das sich außerhalb der menschlichen Lebenswelt vollzieht, auf diese aber als ordnende Macht einwirkt. Die begriffliche Erfassung dieser Anschauung findet sich zuerst bei Aristoteles, der den Menschen als *mikròs kósmos* bezeichnete [220]. Im späteren europäischen Denken hat vor allem Paracelsus diese Idee vertieft.

Der Entsprechungszusammenhang zwischen Makrokosmos und Mikrokosmos wird oft durch *Kosmogonien* begründet, die von der Tötung eines Urwesens und dessen schöpferischer Umgestaltung berichten. Aus diesen Mythen folgert die Annahme einer substantiellen Einheit von Makrokosmos und Mikrokosmos.

Nach dem babylonischen Weltschöpfungsepos Enūma elisch spaltet der Gott Marduk den Körper der von ihm besiegten Tiāmat und bildet aus seinem oberen Teil den Himmel, aus dem unteren die Erde.

ıus dem Blut des Kingu, des Usurpators der Götterherrschaft, wird der Mensch erschaffen [221].

In China vertrat der spätere Taoismus eine Anschauung, nach der die Welt aus dem Riesenkörper des Urwesens P'an-ku entstand: sein Atem wurde zum Wind, seine Stimme zum Donner, sein linkes Auge zur Sonne, das rechte zum Mond, seine Knochen zu Metallen und Steinen, sein Fleisch zum Erdboden, sein Blut zum Meer, seine Haare zu Bäumen, sein Schweiß zum Regen – und aus dem Ungeziefer, das sich an seinem Körper befand, entstanden die Menschen [222].

Diesem chinesischen Mythos entspricht bis in viele Einzelheiten hinein ein Bericht, den die Bon-Mythologie der Tibeter in einer Version der Kesar-Sage tradiert [223].

Der germanische Mythos berichtet über die Entstehung der Welt aus dem Körper des urzeitlichen Riesen Ymir [224]:

> Aus Ymirs Fleisch
> ward die Erde erschaffen
> und aus dem Blut das Meer,
> die Berge aus den Knochen,
> der Baum aus dem Haar
> und aus dem Schädel der Himmel.

Der durch Herkunft und Analogie garantierte makrokosmische Bezug irdischer Erscheinungen begründet und legitimiert die *menschliche Ordnung*. Im alten Indien wurde die Ehe als Spiegelbild des Verhältnisses von Himmel und Erde angesehen [225], und nach dem Rigveda sind die vier großen Kastengruppen aus einem Urwesen namens Purusha entstanden [226]:

> In wie viele Teile ward er umgewandelt,
> als sie zerstückelten den Purusha?
> Was ward sein Mund, was wurden seine Arme,
> was seine Schenkel, seine Füße da? –
> Zum Brāhmana ist da sein Mund geworden,
> die Arme zum Rājanya sein gemacht,
> der Vaishya aus dem Schenkel, aus den Füßen
> der Shūdra ward hervorgebracht [227].

Die makrokosmisch-mikrokosmische Korrelation steht letztlich im Hintergrund, wenn auch Begriffe der irdischen Ordnung wie Vater, Mutter, Sohn, Hirt, Herrscher und König zur Bezeichnung der Gottheit verwendet werden.

Vor allem auf *religionsgeographischem Gebiet* haben Makrokosmos-Mikrokosmos-Spekulationen eine ordnende Funktion. Die Verbindung beider Bereiche wird durch Regenbogen oder Himmelsleiter herge-

stellt [228]. Die Weltsäule, der *axis mundi,* dessen Vorstellung sehr weit
verbreitet ist, hält den Himmel und stellt sicher, daß er nicht auf die
Erde herabfällt. Nach einer der altägyptischen Anschauungen ruht der
Himmel auf vier senkrechten, oben gegabelten Stützen, nach einer
anderen ist es der Luftgott Schu, der den Erdgott Geb von der Himmelsgöttin Nut trennt [229].

Der irdische Raum, sowohl der natürliche als auch der vom Men-
schen gestaltete, besitzt oft eine makrokosmische Entsprechung. Für die
Völker des Altai haben die Berge ein ideales Urbild im Himmel [230].
Verbreitet ist die Anschauung, daß Flüsse ihr makrokosmisches Ana-
logon in Sternbildern haben; so war die iranische Anāhitā, die enge
Bezüge zum Wasser aufweist, wahrscheinlich eine Göttin sowohl der
Milchstraße als auch des Flusses Oxus.

Der vom Menschen errichtete Tempel symbolisiert häufig die my-
thische Vorstellung eines kosmischen Berges, oder er gilt als *imago
mundi,* als Abbild des Alls. Auch die Stadt besitzt ihr himmlisches
Urbild [231]. Das galt in bevorzugter Weise für die Städte des alten
Mesopotamien, vor allem aber für die Vorstellung vom himmlischen
Jerusalem [232], von dem es in der Apokalypse (21, 2) heißt:

Und ich, Johannes, sah die heilige Stadt, das neue Jerusalem herabkommen
aus dem Himmel von Gott, bereitet wie eine für ihren Mann geschmückte
Braut.

Die makrokosmisch-mikrokosmischen Spekulationen haben aber noch
für ganz andere Bereiche Bedeutung, nämlich für diejenigen der *Astro-
logie.* Deren Versuche, irdisches Geschehen und vor allem menschliches
Geschick aus der Konstellation der Sterne zu erschließen, beruhen auf
der Annahme eines gesetzmäßigen Parallelismus irdischer und makro-
kosmischer Kräfte, einer unverbrüchlichen Ordnung, die beide Bereiche
zueinander in Beziehung setzt.

Der Raum

Während sich aus der geometrischen Fläche der Erde keine qualifizierte Differenzierung ergibt, sind *heilige Stätten* aus der sie umgebenden profanen Welt herausgenommen und vermitteln somit eine
sakrale Ordnung des Raumes [233]. Diese Bedeutung erlangen bestimmte
Orte dadurch, daß sie als Stätten der Begegnung von Immanenz und
Transzendenz, als Aufenthalts- und Verehrungsstätten einer Gottheit
gelten, daß sich an ihnen Wunder, Orakel, Offenbarungen oder bedeutsame Ereignisse im Leben eines Religionsstifters vollzogen. Heilige

Stätten sind durch Meidungsgebote vor dem Betreten Unbefugter geschützt, sie sind Orte des Kultes, oft auch Ziele der Wallfahrt, im allgemeinen herrscht an ihnen ein Asylrecht.

Jeder natürliche Raum kann durch Offenbarung oder menschliche Setzung zur heiligen Stätte werden. Vornehmlich Bäume, Haine, Quellen, Flüsse, Seen, Steine, Berge und Grotten werden als heilig angesehen. Auch das Grab, das die Beziehung zu Ahnengeistern oder zu einem Heiligen vermittelt, ist ein sakraler Platz.

Als Stätte der Verehrung, des Kultes und oft als Aufenthaltsort der Gottheit gilt in spezieller Weise der geschlossene Raum des Sakralbaus. Das Etynom des hierfür gebräuchlichen Appellativs *Tempel*, das griechische Wort *témenos*, dem das lateinische *templum* entspricht, bezeichnete ursprünglich allgemein den gegenüber dem Profanen abgegrenzten Kultplatz und erst später in spezieller Weise ein sakrales Gebäude [234]. Innerhalb des Tempels besitzt der Altar als Tisch der Gottheit besondere Heiligkeit. Die Architektur des Tempels kann in symbolischer Weise makrokosmische Vorstellungen zum Ausdruck bringen.

Gegenüber dem Tempel eines bestimmten Ortes tragen in erhöhtem Maße *amphiktyonische Heiligtümer* zur sakralen Ordnung des Raumes und zur Orientierung des Menschen bei. Eine Amphiktyonie ist eine aus den Amphiktyones, den „Umwohnern" eines Kultortes gebildete Gemeinschaft, die sich verbunden weiß in der Fürsorge für diese heilige Stätte und in der regelmäßigen Wallfahrt dorthin.

Von besonders großer Bedeutung sind amphiktyonische Heiligtümer für nomadisierende Völkerschaften. Sie vermitteln ihnen Orientierung und damit Geborgenheit in der Weite des Raumes. Zu denken ist hierbei etwa an Karakorum, das „schwarze Geröll" in der Äußeren Mongolei, ferner an das Ansehen, das Mekka mit der Kaaba bereits unter den Beduinen des alten Arabien genoß, nicht zuletzt an die Bedeutung, die die Saintes-Maries-de-la-Mer in der Camargue bis heute für die Zigeunerwallfahrt besitzen.

Das bedeutendste amphiktyonische Heiligtum Griechenlands war Delphi, zu dessen Tempelverein zwölf Stadtstaaten gehörten. Die hervorragende Bedeutung des delphischen Heiligtums kam darin zum Ausdruck, daß sich mit ihm eine mythische und religionsgeographische *Mittelpunktsvorstellung* verband. Terminologisch pflegt man diese Vorstellung von einem Heiligtum als Mittelpunkt der Erde mit dem griechischen Ausdruck *omphalòs tēs gēs* zu bezeichnen [235]. Als „Omphalòs tēs gēs", als „Nabel der Erde", galt das Heiligtum von Delphi, und nach mythischer Vorstellung war dieser Rang dadurch ermittelt worden, daß Zeus von den Enden der Welt zwei Adler oder auch zwei

Schwäne sich entgegenfliegen ließ und in Delphi, wo sich die beiden Vögel trafen, den Mittelpunkt der Erde festlegte. Äußerlich gekennzeichnet war dieser Mittelpunkt durch einen kultisch verehrten schwarzen Stein.

Religionsgeographische Mittelpunktsvorstellungen sind bei vielen Völkern mit heiligen Stätten, Kultorten oder Bergesgipfeln wie auch mit der Lokalisierung des Paradieses verbunden [236]. In bevorzugter Weise gilt dies für Jerusalem, das schon im Alten Testament (Ezechiel 5, 5) als Mittelpunkt der Welt angesprochen wird und diese Einschätzung bis weit über das Mittelalter hinaus genießt. In Palästina galt außerdem der Berg Garizim als „Nabel der Erde" [237]. Rom besaß auf dem Forum den *umbilicus urbis Romae,* den „Nabel der Stadt Rom". Nach altem Glauben befand sich die Hauptstadt des chinesischen Herrschers im Zentrum der Welt. „Te Pito O Te Henua", „der Nabel der Erde", war wahrscheinlich der ursprüngliche Name der Osterinsel [238]. In neuerer Zeit hat die Tenrikyō, eine der neuen Religionen Japans, ihrem Haupttempel diese Bedeutung verliehen; sie bezeichnet ihn als Jiba, als „Stätte" schlechthin [239].

Das sind nur einige Beispiele für eine außerordentlich weit verbreitete Vorstellung. Auf deren bedenklichen Verlust im modernen europäischen Bereich hat Romano Guardini hingewiesen, als er schrieb [240]:

Unsere Zeit hat keine allgemein bejahten Kultzentren mehr. Was dieser Ausfall an religiöser Strahlung für das Leben des Ganzen wie auch der einzelnen bedeutet, dürfte nicht zu ermessen sein.

Zu den bedeutsamsten Fakten, deren Mangel Romano Guardini mit diesen Sätzen feststellte, gehört sicher die Möglichkeit der geistigen Ausrichtung auf den im Raum fixierten, geographisch greifbaren *Ausgangspunkt einer Religion,* der durch ihr Hauptheiligtum repräsentiert ist. Der Verlust dieser geistigen Mitte kann derart verhängnisvoll empfunden werden, daß mit ihm der Gedanke der Einbuße an religiöser Substanz verbunden wird. Bereits die räumliche Entfernung vom Ursprungsort begründet dann die Möglichkeit des religiösen Irrtums. Das geht aus einem Bericht hervor, mit dem Cortés, der Eroberer Mexikos, Kaiser Karl V. über seine Versuche unterrichtete, die Azteken zu missionieren, und in dem er über deren Reaktion, vornehmlich Motecuçomas II., ihres drittletzten Herrschers, des Montezuma der spanischen Chronisten, berichtete [241]:

Sie alle, vornehmlich aber Motecuçoma, antworteten darauf: sie hätten mir bereits gesagt, daß sie nicht ursprüngliche Kinder dieses Landes seien, sondern daß vor sehr langer Zeit ihre Vorfahren erst dorthin gekommen seien; und sie glaubten wohl, daß sie vielleicht in einigen ihrer Annahmen irren könnten, da sie so lange schon von ihrem Ursprunge entfernt seien.

Dort, wo in der Religionsgeschichte die räumliche Hinwendung zu den Ursprüngen als geistige Macht empfunden wird, bestimmt sie meist zweierlei: die Gebetsrichtung und die Kultachse des Sakralbaus. Für das Christentum, in dem das Worx „ex oriente lux" spezifische Bedeutung gewann, ist daher die *Ostung* der Kirchen wie auch der Gräber, also die *Orientation* im eigentlichen Sinn dieses Begriffs, bestimmend geworden.

Die religiöse Blickrichtung nach Osten ist sehr weit verbreitet und findet sich auch dort, wo sie nicht dem Ursprungsort einer Religion gilt. Sie meint dann nämlich die Gegend des Aufgangs der als Prinzip des Lichtes und des Lebens täglich neu erscheinenden Sonne. Das Gebet, insbesondere das Morgengebet, wird vorwiegend mit dem Blick zur aufsteigenden Sonne verrichtet. Dies war in Indien, Ägypten, Babylonien, Griechenland und bei den Römern vorherrrschender Brauch. In Japan wenden sich die Fujiyama-Pilger noch heute nach Osten, um das aufgehende Tagesgestirn zu grüßen.

Damit ist eine *Wertung der Himmelsgegenden* verbunden. Sie ist in den verschiedenen Religionen uneinheitlich und kann daher nicht systematisierend auf eine einzige Formel gebracht werden. Charakteristisch ist lediglich die Wechselseitigkeit ihrer Einschätzungen. Wo der Norden als unheimliches Reich der Dämonen oder der Riesen angesehen wird, weist der Süden positive Aspekte auf.

Diese Qualifikation der Himmelsrichtungen ist Grundlage für die besonders in Ostasien entwickelte *Geomantik,* das Verfahren, aus geographischen Gegebenheiten zu weissagen und dementsprechend den Bau von Häusern und die Anlage von Städten nach diesen Prinzipien auszurichten. Über die heutige Situation hinsichtlich dieser Einstellung berichtet ein profunder Kenner Japans [242]:

Die Häuser sind nach den mythisch-magischen Bestimmungen der „Richtungswissenschaft", d. h. der chinesischen Geomantik errichtet. Während der „Abergläubische" beim Hausbau einen Orakelkundigen, einen Augur zuzieht, verläßt sich der „Aufgeklärte" darauf, daß der Baumeister nicht gegen die Grundregeln der magischen Richtungswissenschaft verstößt.

Die geomantische Ausrichtung des menschlichen Wohnraums beruht natürlich auf dem Prinzip, die Siedlung und ihre Einheiten, die Häuser, einer übergreifenden Ordnung einzupassen und dadurch zu heiligen.

Die *Heiligung des Hauses* wird in den verschiedenen Religionen auch noch auf andere Weise vollzogen [243]. Das Haus kann dadurch geweiht werden, daß in seine Fundamente sakral geopferte Menschen, sogenannte Bauopfer, eingemauert werden. Auch die Verbindung mit den Ahnen des Stammes ist üblich; so stellen die geschnitzten Wandpfeiler im Männerhaus der Maori die Bilder verstorbener Häuptlinge dar, die nun das Bauwerk gewissermaßen tragen.

Wie das Haus als Ganzes, so haben auch seine Teile Heiligkeitscharakter. Über der Türe werden apotropäische Gegenstände befestigt, die dämonischen Einfluß abwehren sollen. Im alten Rom unterstand die Tür, die *ianua*, dem Schutze des Gottes Janus, in China wurde ein Genius der Tür, in Japan eine Torgottheit verehrt. Von der Bezeichnung der römischen Vorratskammer, dem *penus,* leitet sich der Name der Penaten ab, der Schutzgötter dieses Raumes. Im nordgermanischen Haus galt der Hochsitz, der Platz des Hausherrn, als heilig. Eine besondere Bedeutung wird oft dem Herd beigemessen. Von der römischen Religion wurde Vesta, die Gottheit des Herdfeuers, in den Staatskult aufgenommen [244].

Die *Heiligkeit der Stadt* verbindet sich in vorrangiger Weise mit Jerusalem; ferner gelten als heilige Städte Rom für die katholische, Moskau für die orthodoxe Kirche, Mekka und Medina für den Islam, Benares für Hinduismus und Buddhismus, Lhasa für den Lamaismus, das frühere Peking für die konfuzianische Staatsreligion des kaiserlichen China. Die bewußte und planmäßige Errichtung einer heiligen Stadt vollzog der ägyptische Pharao Echnaton (ca. 1370–1352 v. Chr.) mit dem Bau von Achet-Aton an der Stelle des heutigen Tell el-Amarna.

Der Charakter der Heiligkeit kann noch größeren räumlichen Einheiten eigen sein. Bei Palästina betrifft er *ein ganzes Land.* Dabei ist die zugrundeliegende Bindung Jahwes an dies Land gelegentlich ganz substantiell verstanden worden. Im 2. Buch der Könige (Kap. 5) wird berichtet, daß der Syrer Naeman, den der Prophet Elisa von seinem Aussatz geheilt hatte, den Gott Jahwe auch in seiner syrischen Heimat verehren will. Deshalb nimmt er eine doppelte Maultierlast palästinensicher Erde mit sich, weil er glaubt, dem palästinensischen Gott in der Fremde nur auf palästinensischer Erde dienen zu können.

Es ist schließlich noch auf die an sich völlig selbstverständliche, aber viel zu wenig beachtete Tatsache zu verweisen, daß Religionen gestaltende Kräfte der Ordnung unseres *religionsgeographischen Weltbildes* sind [245]. Unter den großen Religionsstiftern ist es Mani, der Begründer des Manichäismus, gewesen, der seine Einsicht in die religionsgeographische Verbreitung der großen Religionen seinem eigenen Missionsprogramm gegenüberstellte [246]:

Die früheren Religionen waren nur in einem Land und in einer Sprache. Da ist nun meine Religion derart, daß sie sich in jedem Land und in allen Sprachen zeigen und in den fernsten Ländern gelehrt werden wird.

Noch aufschlußreicher ist Manis Hinweis auf die Symmetrie hinsichtlich der Ausbreitung des Christentums einerseits, der indischen Religionen andererseits [247]:

Wer seine Kirche im Westen erwählt, dessen Kirche ist nicht nach Osten gelangt; wer seine Kirche im Osten erwählt hat, dessen Auslese ist nicht zum Westen gekommen, so daß es einige unter ihnen gibt, deren Namen in anderen Städten nicht bekanntgeworden sind. Meine Hoffnung aber wird nach dem Westen gehen und auch nach dem Osten.

Die Zeit

Die Ordnung der Zeit erfolgt durch den *Kalender*. Er ist religiösen, speziell kultischen Ursprungs [248]. Seine Gliederung des Jahres bis zur kleinsten Einheit eines Tages diente ursprünglich in erster Linie der Fixierung der dem Alltag enthobenen heiligen Zeiten mit ihren kultischen Festen. Die Aufstellung des Kalenders war daher vornehmlich Aufgabe der Priester oder des Sakralherrschers. Im alten China gehörte die jährliche Herausgabe des Staatskalenders zu den Pflichten des „Sohnes des Himmels", des Kaisers, und die Lebensführung in strikter Befolgung der kalendarischen Daten war ein wesentliches Glied der Einordnung des einzelnen in die universistische Ordnung des Tao [249].

Der Kalender, den der römische König Numa Pompilius erstellen ließ, regelte den gesamten Staatskult. Er wurde durch den von Gajus Julius Cäsar eingeführten Julianischen Kalender abgelöst, den seinerseits Papst Gregor XIII. im Jahre 1582 mit dem bis heute im wesentlichen gültigen Gregorianischen Kalender verbesserte.

Nicht allein die ursprünglich rein kultische Zielsetzung, sondern auch der Anfangspunkt seiner Zeitrechnung ist ein Indiz für den religiösen Charakter des Kalenders. Bekanntlich beginnt die christliche Zeitrechnung mit der Geburt Jesu, die islamische mit dem für die Bildung dieser Religion entscheidenden Ereignis der Hedschra, der Übersiedlung Mohammeds und seiner Getreuen von Mekka nach Medina. Auch der Ausgangspunkt des jüdischen Kalenders, die göttliche Erschaffung der Welt, hat einseitig religiöse Bedeutung.

Die *heiligen Zeiten*, die der Kalender festlegt, werden meist in jährlicher Wiederholung begangen. Es sind dem Alltag enthobene Zeitabschnitte, an denen nicht gearbeitet wird, die oft durch besondere kultische Feste ausgezeichnet sind, aber auch Bußcharakter haben und asketisches Verhalten fordern können.

Unter ihnen ragen die *Übergangsfeste* hervor. Vielfach werden sie in Verbindung mit Gefahren gesehen, deren Abwendung rituell zu vollziehen ist. Mit dem Sonnenlauf verbunden sind die Feste der Sommer- und Wintersonnenwende. Mit letzterer fällt häufig, jedoch nicht durchweg, das *Neujahrsfest* zusammen [250]. Es wird seit frühen Zeiten weltweit als ein Fest begangen, dessen rituelle und magische Handlungen dem Zweck dienen, die Krise zwischen dem Ende des alten und dem Anfang des neuen Jahres, die nach frühen Kalendern oft mehrere Tage anhielt, zu überwinden und einen Neubeginn zu sichern, der als Erneuerung der Welt und als Neuschöpfung des Lebens verstanden wurde. Deshalb fand häufig der Vollzug eines Kultdramas statt, das eine symbolische Wiederholung der Kosmogonie darstellte. Dem Fest gingen Reinigungsriten zur Entsühnung von Sünden voraus, die während des alten Jahres begangen wurden. Sie konnten individuell getilgt oder kollektiv einem „Sündenbock" übertragen werden. Maskenumzüge und lärmende Feiern, wie sie sich bis in die Gegenwart erhalten haben, galten einstmals der Vertreibung dämonischer Mächte. Zeichen des Neubeginns war häufig die Erneuerung des Feuers im Haus oder Tempel. Orakel, die die Zukunft erkunden sollten, wurden bevorzugt am Anfang des neuen Jahres erteilt.

Für den vorderasiatischen Raum war das babylonische Neujahrsfest charakteristisch. An ihm wurde das Weltschöpfungsepos Enūma elisch verlesen. Für die Zeit seiner Feier galt der rechtmäßige König offiziell als Bauer, und es wurde ein Ersatzkönig eingesetzt.

Zu den Übergangsriten, die nicht der Welterhaltung und -erneuerung dienen, sondern ganz auf den menschlichen Bereich konzentriert sind, zählen die *rites de passage* im eigentlichen Sinn dieses Begriffs [251]. Hiermit sind in erster Linie Initiationsriten gemeint, die mit der Erlangung der Geschlechtsreife verbunden sind und hierbei Tod und Auferstehung symbolisieren. Sie gelten der Loslösung von der Kindheit und dem Eintritt in die Gemeinschaft der erwachsenen Männer; für junge Mädchen werden viel seltener Initiationsriten vollzogen. Für die Jünglinge sind diese Riten mit schweren physischen und psychischen Belastungen verbunden, mit Schmerzproben, der Absonderung in unwirtliche Gebiete, des Fastens und der Beachtung zahlreicher Tabu-Vorschriften. Meist werden diese Rites de passage mit Unterweisungen abgeschlossen, deren Inhalt oft gegenüber den Frauen geheimgehalten werden muß.

Übergangsriten begleiten auch sonst den Eintritt in einen neuen

Lebensabschnitt. Hierzu zählen vor allem die *Geburtsriten*, die für das Kind mit der Namensgebung verbunden sind, gelegentlich auch mit Beschneidung oder einem Taufakt. Für die Mutter sind meist Reinigungen vorgeschrieben, für den Vater Enthaltungen von Rauchen und Waffengebrauch oder die mit *couvade*, dem „Männerkindbett", bezeichnete Nachahmung der Wöchnerin. Der Abschluß dieser Riten wird häufig mit einem Fest begangen.

Von den *Hochzeitsriten* hat sich bis heute das auf magischen Vorstellungen der Dämonenabwehr beruhende Zerschlagen von Tonwaren und Glas am „Polterabend" erhalten.

Neben Geburt und Hochzeit erfordert der Tod Übergangsriten. Die verschiedenen Formen der Erd-, Feuer-, Luft- und Bootsbestattung sind zumindest teilweise religiös bedingt. Diese *Funeralriten* verfolgen ein dreifaches Ziel. Sie werden einerseits zum Wohl des Verstorbenen vollzogen, dem sie die Jenseitsreise und den Aufenthalt im Totenreich erleichtern sollen. Sie haben andererseits apotropäischen Charakter. Dann sind sie motiviert durch die Angst der Hinterbliebenen vor einer Rückkehr des Toten. Ihnen stehen schließlich Riten gegenüber, die den Verstorbenen weiterhin mit den Lebenden verbinden sollen. Hierzu gehören Hausbestattung, Ahnenkult sowie Heroen- und Reliquienverehrung.

Während diese Übergangsriten die großen Zeitabschnitte im Leben des menschlichen Individuums betreffen, sind Naturfeste bedeutsam für die Gesamtheit einer menschlichen Gruppe. Anlaß für heilige Zeiten sind in bäuerlichen Kulturen die zyklisch wiederkehrenden Abschnitte der Aussaat und Ernte, in Jägerkulturen Einleitung und Abschluß der Jagd. Völkerschaften, deren Lebensgrundlage auf der Fischerei beruht, feiern das erste Erscheinen der neuen Fischschwärme. Unter Nomaden ist es üblich, die jährliche Erstgeburt des Lammes feierlich zu begehen.

Den Übergang von Naturfesten zu *heilsgeschichtlichen Festen* haben die antiken Mysterien vollzogen. Der Kult des Attis ist ein typisches Beispiel dafür. Dieser Gott rechnete zunächst zum Kreis der sterbenden und wiederauferstehenden Vegetationsnumina. Alljährlich wurde sein Tod beklagt, und an die Stelle der Trauer trat im Frühjahr, wenn man die Auferstehung des Attis feierte, ein Jubel, der sich aber nunmehr, nachdem Attis die zentrale Figur eines Mysterienkultes geworden war, nicht mehr auf den Vegetationskreislauf bezog. Die Auferstehung des Gottes galt jetzt vielmehr als Unterpfand für das Heil der Mysten, für deren Wiedergeburt und Unsterblichkeit.

Die Feier heilsgeschichtlicher Feste ist vor allem charakteristisch für die großen Erlösungsreligionen und unter ihnen in erster Linie für die prophetischen, die eine besonders enge Bindung zwischen Glauben und Geschichte vollziehen. Für sie sind Erinnerungen an gottgewirktes Geschehen wie auch an hervorstechende Ereignisse im Leben des Stifters oder anderer religiös bedeutsamer Gestalten Anlaß zu jährlich wiederholter Feier. Im Christentum hat dies zur Ausbildung des *Kirchenjahrs* geführt.

Die Zuordnung der einzelnen *Wochentage* zu einem bestimmten polytheistischen Gott und die Benennung nach diesem ist sehr alt. Sie war bereits in Babylonien üblich und hat sich bis heute erhalten[252]. Die einstigen theophoren lateinischen Namen der Wochentage sind im Französischen noch leicht zu erkennen; im Deutschen sind die römischen Gottheiten teilweise durch germanische ersetzt worden. Der *dies Solis* ist auch bei uns Tag der Sonne, Sonntag, geblieben, der *dies Lunae* der des Mondes, im Französischen *lundi*. Beim *dies Martis*, dem französischen *mardi*, ist in der deutschen Tradition Ziu an die Stelle des Kriegsgottes Mars getreten. Der Donnerstag, dem Gotte Donar heilig, war in Rom dem Jupiter zugeordnet; *dies Jovis* hat sich im französischen *jeudi* erhalten. Im französischen *vendredi* ist der alte *dies Veneris* enthalten; die germanische Überlieferung hat hier die Göttin Freya an die Stelle der Venus gesetzt.

Nicht allein die sich im Lauf des Jahres ständig wiederholenden Wochentage, sondern auch jeder einmalige Tag des Jahres kann eine inhaltliche Qualifikation erhalten, die dann die Grundlage bildet für eine *kalendarische Mantik.* Diese kann nach einem bis zur Gegenwart weit verbreiteten Aberglauben einmal durch „Tagewählerei" den günstigen Augenblick, den *kairós* für ein Unternehmen ermitteln, sie kann aber auch, auf den Tag der Geburt eines Menschen bezogen, aufschlußreich sein für dessen Lebensgeschick. Reiches Material hierzu bietet der uns glücklicherweise erhalten gebliebene augurische Kalender der Azteken des alten Mexiko[253]. Er läßt für jeden Tag gute und schlechte Möglichkeiten erkennen, deren Realisation sich nach dem moralischen Verhalten des Menschen richtet. Die Antithetik dieser Aussagen ist höchst aufschlußreich für die Frage nach Determinierung oder Freiheit des menschlichen Willens. Sie zeigt, daß Charakter und Schicksal des Menschen nicht restlos als prädestiniertem Zwang unterstehend bewertet wurden. Denn das Gute einer Vorhersage war abhängig von der Gegenleistung opferwilliger Frömmigkeit und pflichtbewußten ethischen Handelns, und es wurde verscherzt von dem, der sich gegen diese Gebote versündigte.

Schließlich kann bestimmten *Jahren* Heiligkeitscharakter verliehen werden[254]. Das jüdische *Jobeljahr* erhielt seinen Namen vom hebräischen *jobel*, „Widderhorn", weil zu Beginn dieses Jahres das Widderhorn geblasen wurde. Das Jobeljahr, auch mit Jubel- oder Halljahr bezeichnet, ist das im Alten Testament [255] angeordnete heilige Jahr der Juden, das nach 7 Sabbatjahren, also jeweils nach 49 Jahren feierlich begangen und mit Schuldenerlaß, Rückgabe verkauften Bodens und Freilassung von Sklaven verbunden werden soll.

Das heilige Jahr, italienisch *Anno Santo*, der katholischen Kirche soll der inneren Erneuerung der Gläubigen dienen. In Anlehnung an die 249 v. Chr. eingeführte römische Säkularfeier wurde im Jahre 1300 von Papst Bonifatius VIII. das erste heilige Jahr verkündet. Es wird seitdem in bestimmten Zeitabschnitten, jetzt alle 25 Jahre begangen. Die Einleitung erfolgt zu Weihnachten mit dem Öffnen der heiligen Pforte des Petersdoms durch den Papst; diese wird nach Ablauf des Jahres wieder vermauert.

Über größere, das Jahr überschreitende Perioden wird im Zusammenhang mit dem religiösen Geschichtsverständnis zu handeln sein [256].

Das Recht

Nach dem Ende der Geschlossenheit universistischer Weltbilder und mit ihm dem Zerfall numinoser Ordnungsbegriffe in ihre Teilaspekte behält das Recht als eine nunmehr allein auf den menschlichen Bereich bezogene Größe eine Legitimation, die sakral begründet ist. In einseitig pointierter Formulierung kann man sagen: alles Recht ist ursprünglich Kirchenrecht. Und man kann dieser Feststellung als ein Zweites hinzufügen, daß dann, wenn das Recht seine religiöse Begründung gänzlich verliert, die Gefahren der Anarchie und des Chaos akut sind [257].

Es ist sicher nicht möglich, das Recht, wie dies gelegentlich behauptet worden ist, generell auf *Tabu-Vorschriften* zurückzuführen. Aber es ist unbestritten, daß diese Meidungsgebote die religiöse Bindung irdischer Ordnungen besonders deutlich erkennen lassen, weil sie sich sehr oft, wenn auch nicht immer, auf spezifisch religiöse Bereiche, nämlich auf die kultische Sphäre beziehen, wenn sie das Betreten des heiligen Bezirks und die Berührung heiliger Personen und Gegenstände untersagen. Natürlich rechnet hierzu auch das Sprachtabu, das vornehmlich die Nennung echter Götternamen verbietet und diese durch Noa-Namen ersetzt; der polynesische Begriff *noa* bezeichnet im Gegensatz zu *tabu* das Alltägliche, dem freien Gebrauch jederzeit Offenstehende. Aber auch dort, wo sich das Recht nicht auf spezifisch religiöse Gegebenheiten bezieht, sondern den profanen Ordnungen gilt, verliert es nicht seine sakrale Bindung, auf der sein ethischer Anspruch beruht. Bezeichnend hierfür ist die Einleitung zum Gesetz des babylonischen Königs Hammurabi (1728–1686 v. Chr.), zum Codex Hammurabi, einer der ältesten Gesetzessammlungen der Welt. In dieser Einleitung bezieht sich Hammurabi auf den Himmelsgott Anum und auf Enlil, den „Herrn der Schicksalsbestimmung", und er legitimiert seine Herrschaft und sein Recht unter Berufung auf beide Götter, von denen er aussagt [258]:

... als sie Babylon mit seinem erhabenen Namen benannten und in der Welt alleinherrschend machten, darinnen zugleich ein immerwährendes Königtum für ihn errichteten, ein Königtum, dessen Grundlage so beständig wie der Himmel und die Erde ist – damals ernannten Anum und Enlil auch mich (Hammurabi) in der Absicht, daß ich es auf mich nehmen sollte, das Wohlergehen der Bevölkerung zu fördern, daß ich, der demütige und gottesfürchtige Fürst, Gerechtigkeit das Land prägen lassen sollte, daß ich dafür sorgen sollte, daß der Böse und der Schlimme zugrunde gehen, daß der Stärkere sich dem Schwächeren gegenüber keine Vorteile verschaffe, daß ich mich wie die Sonne über dem Volk zeigen könne und daß ich ein Licht über dem Lande sein könnte.

Wie hier in einer polytheistischen Religion das Recht auf die Anordnung der Götter zurückgeführt wird, so ist es in monotheistischen Religionen der normative Wille des einen Gottes, der offenbar wird im Spruch des Propheten, wenn dieser das Recht verkündet. Der Dekalog des Mose ist das Urbild dieser Rechtsetzung.

Wie die *Rechtsetzung*, so ist auch der *Rechtsschutz* göttlicher Macht unterstellt. Raffaele Pettazzoni hat in seinem letzten großen Werk den Typ des allwissenden Gottes herausgestellt, der vornehmlich mit visueller Allwissenheit Rechtsbruch und Sünde der Menschen erkennt und ahndet [259]. Charakteristisch für diesen allwissenden Gott ist die Aussage in einem Fragment des Xenophanes [260]:

Alles sieht er, alles weiß er, alles hört er.

Eine ähnliche, äußerst bezeichnende Aussage überliefert ein aztekischer Text über den Gott Tezcatlipoca, der zwar Züge eines Tricksters trägt, aber auch solche des allwissenden Gottes. Von ihm heißt es [261]:

Er kennt das Innere der Menschen.

Für diese Qualität des Gottes Tezcatlipoca spricht auch das Symbol des Spiegels, das auf bildlichen Darstellungen oft die Stelle seines einen abgerissenen Fußes einnimmt und seinen Namen geprägt hat, der

„rauchender Spiegel" bedeutet. Denn den Azteken galt der Spiegel nicht allein als Mittel zur Überprüfung ihrer korrekten Erscheinung, sondern als Sinnbild für die Erforschung des Gewissens.

Wenn nicht nur Ursprung und Schutz des Rechtes, sondern auch die *Rechtsfindung* der Gottheit unterstellt werden, spricht man vom Gottesurteil oder *ordal.* Es war früher weit verbreitet in Fällen der Unergründbarkeit einer Rechtslage durch Menschen. Zu den häufigsten Proben des Ordals gehörten der Kesselfang, bei dem der Proband einen Gegenstand aus einem Kessel mit kochendem Wasser holen mußte, und die Feuerprobe, das Tragen glühenden Eisens oder das Schreiten über glühende Pflugscharen.

Schließlich gehört zum sakralen Charakter des Rechts die *Vergeltung* im religiösen Sinne, der Glaube an eine über die jeweils aktuelle Situation hinauswirkende, vom weltlichen Strafvollzug unabhängige und künftiges Schicksal des Menschen bestimmende Bedeutung guter oder böser Taten [262]. Dieser Vergeltungsgedanke hat in der Religionsgeschichte in bezug auf das rechtlich-ethische Verhalten des Menschen zwei unterschiedliche Ausprägungen erfahren.

Charakteristisch für die indischen Religionen ist die Lehre von der automatischen Vergeltungskausalität der Tat, die im Zusammenhang mit dem Seelenwanderungsglauben steht. Nach dieser Lehre wird die Art der Wiedergeburt eines Menschen bestimmt durch das *karma,* das „Werk", also die Taten in seinem vorhergehenden Leben. Gute, rechtschaffene Werke schaffen glückliche Verhältnisse in einer zukünftigen Existenz. Böse Taten aber bestimmen eine schlechte Wiedergeburt in rangniederer Kaste oder als Tier.

Der *karmischen* steht die *eschatologische Vergeltung* gegenüber, die in einem einmaligen Gericht vollzogen wird und das Jenseitsgeschick des Menschen bestimmt. Sie findet nach altägyptischer Vorstellung in einem Totengericht statt, als dessen Richter zunächst der Sonnengott Re und später Osiris angesehen wurde [263]. Die Idee des individualeschatologischen Gerichts ist vom Parsismus besonders reich ausgebildet worden. Charakteristisch ist sie auch für Mohammed. Für ihn stand die Vergeltung bei dem am Weltende zu erwartenden Gericht zunächst ganz im Mittelpunkt seines Denkens, und die ethisch motivierte Warnung vor dieser Vergeltung dürfte das primäre Anliegen seiner Prophetie gewesen sein.

TYPEN RELIGIÖSER AUTORITÄT

Die Bezeichnung „Typen religiöser Autorität", die hier übernommen wird, stammt von Joachim Wach [264]. Sie eignet sich in vorzüglicher Weise, eine in sich reich gegliederte Gruppe von Menschen zusammenzufassen, deren gemeinsames Charakteristikum darin besteht, daß sie unter ihren Mitmenschen und oft auch für spätere Generationen eine religiöse Autorität besitzen, die auf einem persönlichen oder institutionellen Charisma beruht, auf einer Gnadengabe, die ihnen verliehen wurde.

Zwischen diesen Typen religiöser Autorität können die Grenzen gelegentlich insofern fließend sein, als in einzelnen Fällen Überschneidungen auftreten und ein und derselbe *homo religiosus* verschiedenen Typen zugerechnet werden muß. So ist etwa Buddha, dem Inhalt seiner Botschaft gemäß, zum Typus des Mystikers zu rechnen, sein öffentliches Auftreten und die Form seiner Verkündigung charakterisieren ihn als Lehrer, und schließlich läßt ihn der Erfolg seines Wirkens den Religionsstiftern zuordnen.

Der Sakralherrscher

Der Sakralherrscher oder Gottkönig ist ein Typ religiöser Autorität, dessen Bedeutung in historischer und phänomenologischer Hinsicht seit Beginn dieses Jahrhunderts von der religionswissenschaftlichen Forschung immer deutlicher herausgearbeitet worden ist [265]. Dieses Bemühen entsprach vollkommen der einstigen Bedeutung und sehr weiten Verbreitung des sakralen Herrschertums. Es fand sich früher ebenso bei vielen schriftlosen Völkern, vor allem denjenigen Afrikas, wie auch in Hochkulturen. Im kaiserlichen China genoß der Herrscher, der als „Sohn des Himmels" galt, sakrale Verehrung. Der japanische Tennō, der als Nachkomme der Sonnengöttin Amaterasu angesehen wurde, hatte bis zum Ende des Zweiten Weltkriegs eine gottähnliche Stellung inne; ihm durfte niemand ins Angesicht sehen, sein Name blieb ungenannt.

Unter den altorientalischen Staaten besaß Ägypten die ausgeprägteste Form des Gottkönigtums, dessen sichtbare Zeugen bis heute die

Pyramiden als Grabbauten der Pharaonen sind. Teilweise von ägyptischen Vorstellungen beeinflußt war die göttliche Verehrung der Nachfolger Alexander des Großen. Rom sah im Kaiserkult, dessen Verweigerung mit dem Tode bestraft wurde, ein Mittel zum Zusammenhalt seines Reiches. Augustus (63 v. Chr.–14 n. Chr.) wurde nach seinem Tode vom Senat zum Gott erhoben. Commodus (180–192) aber verlangte bereits zu Lebzeiten göttliche Verehrung, und Aurelian (270 bis 275) ließ sich „dominus et deus", „Herr und Gott", nennen. Unter christlichem Einfluß begann mit Konstantin dem Großen (306–337) der Abbau des antiken Herrscherkultes.

Grundlage des Sakralherrschertums ist der Glaube an die Göttlichkeit des Königs, der als gegenwärtige Gottheit, als ein *numen praesens* verehrt wird, als *Epiphanēs*, als sichtbare Erscheinung eines Gottes. Im alten Ägypten kam dies darin zum Ausdruck, daß der Pharao nach alter Vorstellung als eine Erscheinungsform des Falkengottes Horus galt, des letzten in der Reihe jener am Anfang der ägyptischen Geschichte als Herrscher stehenden Götter, von denen in späterer Zeit am ausführlichsten der Turiner Königspapyrus berichtet.

Das altindische Gesetzbuch des Manu bringt die Vorstellung von der Göttlichkeit des Herrschers treffend zum Ausdruck [266]:

Ein Herrscher, selbst wenn er noch Knabe ist, darf nicht mit Verachtung behandelt werden, als ob er nur ein Mensch wäre; er ist eine große Gottheit in menschlicher Gestalt.

Aus dieser Definition des Sakralherrschers resultiert die Annahme seiner schlechthinnigen Macht. Für den gewöhnlichen Menschen ist diese Machtsphäre tabu; in den alten Worten der ägyptischen Königsprozession:

Es kommt der Gott – Schutz der Erde

findet das seinen knappsten, prägnantesten Ausdruck.

Die außerordentliche Macht, die im Sakralherrscher zentriert ist, sichert ihm den Einfluß auf kosmische Geschehnisse; sein Wille wirkt bestimmend auf Wetter, Fruchtbarkeit und Ernte. Im menschlichen Bereich vereinigt der göttliche Herrscher in seiner Person verschiedene Funktionen, von denen Aristoteles [267] die des Priesters, des Heerführers und des Richters herausstellte.

Die priesterliche Funktion, der Umgang mit den Göttern, der ursprünglich allein ihm vorbehalten war, stand ganz im Vordergrund seiner Verpflichtungen. Damit war die Macht des Sakralherrschers keiner persönlichen Willkür zugänglich. Vielmehr war er ein Sklave seiner rituellen Verpflichtungen. Seine kultischen Aufgaben sowie das starre Hofzeremoniell umgaben ihn mit engen, traditionell festgelegten Schranken, und sein Leben vollzog sich meist in strenger Abgeschlossenheit. Es verwundert daher nicht, daß das Herrschertum in diesen Formen als eine Last empfunden wurde und daher bei afrikanischen Stämmen teilweise die Sitte nachzuweisen ist, dieses Amt einem widerstrebenden Fremdling zu übertragen [268].

Zu den durchaus negativen Seiten des göttlichen Herrschertums gehörte auch die vielfach zwangsweise vollzogene Befristung seiner zeitlichen Dauer, die für den jeweiligen Träger des Amtes nach Jahren festgelegt sein konnte oder durch Anzeichen der Einbuße seiner Macht ermittelt wurde. In Teilen Afrikas verband sich hiermit der Zwangstod des Häuptlings, der sogenannte rituelle Königsmord.

Der Brauch, beim Tod des göttlichen Herrschers die Menschen seiner engeren Umgebung ebenfalls zu töten und in seiner Nähe zu bestatten, war gelegentlicher Bestandteil des Herrscherkultes. Hierbei konnte die Idee zugrunde liegen, den Herrscher auch im Jenseits der Dienste seiner Gefolgschaft zu vergewissern wie auch der Gedanke, diese Gefolgsleute nicht seiner geheiligten Sphäre zu entziehen.

Der Gesalbte

Die Salbung ist seit alten Zeiten ein Weiheritus, der der Übermittlung göttlicher Gnade dient und dem Empfänger eine Sonderstellung unter den Menschen verleiht. Im nachexilischen Judentum wurde die Salbung zunächst für den Hohenpriester üblich, später für alle Träger des priesterlichen Amtes. Die israelitischen Propheten galten im übertragenen Sinne als Gesalbte, und vor allem Jesus erhielt den Würdenamen *Christós*, der „Gesalbte".

Wenn hier „der Gesalbte" als Begriff für einen bestimmten Typus religiöser Autorität verwendet wird, so geschieht dies in einem auf den Träger des herrscherlichen Amtes begrenzten Sinn. Gemeint sind damit Herrscher, die zwar nicht Gottkönige, sondern Menschen sind, denen jedoch durch die verwandelnde Kraft der Salbung eine sakrale Weihe und religiöse Legitimation verliehen wurde.

Die Salbung der mittelalterlichen Herrscher des Abendlandes, die hier in erster Linie in Betracht kommt, ist vielleicht zuerst von den Inselkelten vollzogen worden; im 7. Jahrhundert findet sie sich im spanischen Westgotenreich; sie ist im Frankenreich und seit dem 9. Jahrhundert fast überall in Westeuropa üblich.

Mit dieser Salbung wurde eine Anknüpfung vollzogen an den im Alten Testament überlieferten Ritus, der für Saul [269], David [270], Salomo [271] und andere Könige bezeugt ist. Wie den Herrschern Israels und Judas, so sollte auch den christlichen Königen des Mittelalters die Salbung Ehre und Würde, Macht und Unverletzlichkeit verleihen. Einer der hervorragendsten Kenner mittelalterlichen Herrschertums, Percy Ernst Schramm, beschrieb die pneumatische Erhöhung, die damit vollzogen wurde, in folgender Weise [272]:

> Der Gesalbte wird ein anderer, er tritt in einen anderen Status, er wird Gott in besonderer Weise verbunden, er ist nun ein Gesalbter des Herrn . . . Indem Gott die Weihe zuließ, hat er den neuen Herrscher angenommen als Walter seines Amtes in der Welt.

Durch die Salbung, die die Gaben des Heiligen Geistes vermitteln soll, sind die Herrscher des Mittelalters nicht Gottkönige nach altorientalischer Weise geworden, wohl aber Gottbegnadete, die ihr hohes Amt „von Gottes Gnaden" ausübten, *Dei gratia*, wie die seit Pippin allgemein übliche Formel lautete.

Der religiösen Erhöhung, die damit vollzogen wurde, war ein *character indelebilis* eigen, der von gewöhnlichen Menschen nicht widerrufen, nicht rückgängig gemacht werden konnte. Shakespeare hat auf diese bleibende, unzerstörbare, religiös legitimierte Ausnahmestellung des gesalbten Königs in seinem ›Richard II.‹ (II 2, 54–55) verwiesen mit den Versen:

> Nicht alle Flut im wüsten Meere kann
> Den Balsam vom gesalbten König waschen.

Der Prophet

Der Prophet [273] ist ein Typus religiöser Autorität, der durch das dynamische „Hervorsagen" (griechisch: *próphemi*) des göttlich Richtigen und Wahren gekennzeichnet ist. Demgegenüber ist die Vorhersage zukünftigen Geschehens, die der moderne, stark abgegriffene Sprachgebrauch für den Begriff des Propheten in den Vordergrund stellt, nur ein Teilaspekt.

Das prophetische Hervorsagen ist auftragsgebundenes, stellvertretendes Reden. Der Vollzug des prophetischen Aktes ist sowohl durch die Entpersönlichung des Propheten charakterisiert als auch durch die Gottfülle, die an die Stelle der menschlichen Individualität tritt, durch den Enthusiasmus, das „Standgewinnen im Göttlichen" (griechisch: *en tō theío stásis*) im urspünglichen Sinn dieses Begriffs.

Die griechische Sprache, die den Begriff *prophétes* prägte, bezeichnete damit den Wahrsprechenden schlechthin, sowohl den Dichter als auch den Priester, der ein Inspirationsorakel erteilt. So hießen die Priester des Orakels von Delphi Propheten, und besonders ihr Gott Apollon galt als der große Prophet.

Der theologische und religionswissenschaftliche Begriff des Propheten ist jedoch nicht allein vom griechischen Sprachgebrauch geprägt, sondern auch durch die Tatsache, daß das hebräische Wort *nābī* in der Septuaginta, der griechischen Übersetzung des Alten Testaments, mit *prophétes* wiedergegeben wurde. Damit wurde die prophetische Existenz durch jenes spezifische Gotteserlebnis gekennzeichnet, das der alttestamentliche Prophet bei seiner Berufung durch Jahwe erfuhr [274]. Es ist das Erleben eines übermächtigen Willens, das dem Propheten als schwere, jedoch unabdingbare Forderung zuteil wird. Fortan ist er nur noch Ausdruck seines Gottes.

Die Erfahrung göttlichen Willens in der Geschichte bestimmt die ethischen Forderungen der prophetischen Verkündigung. Der Entscheidungscharakter geschichtlich verantwortlichen Handelns ist durch die Blickrichtung auf eschatologisches Geschehen bestimmt. Diesen Themenbereichen entsprechen die Gestalten der Heils- und Unheilspropheten sowie die prophetischen Redeformen des Schelt-, Droh-, Mahn- und Heilswortes.

Als religionsgeschichtliche Erscheinung ist das Prophetentum weitaus am stärksten in der alttestamentlichen Religion vertreten. Für einen kanaanäischen Prophetismus im Dienste des Gottes Baal findet sich im Alten Testament der erste Beleg im Bericht vom Gottesurteil auf dem Berg Karmel [275]. Das Briefarchiv von Mari bezeugt die Existenz des Propheten (akkadisch: *maḫḫu)* für den vorderasiatischen Raum zur Zeit Hammurabis. Aus dem semitischen Bereich steht dem israelitischen Prophetismus Mohammed am nächsten, der Prophet der Araber, der den Islam als eine typisch prophetische Religion stiftete. Aus dem alten Ägypten sind prophetische Zeugnisse aus der Zeit nach dem Zusammenbruch des Alten Reiches überliefert. Es ist in der Forschung umstritten, jedoch als wahrscheinlich anzunehmen, daß auch Zarathustra dem Typus des Propheten zuzurechnen ist. Innerhalb des sonst gänzlich unprophetischen Buddhismus trug die Gestalt des Japaners Nichiren (1222–1282) – der Name bedeutet „Sonnenlotos" – prophetische Züge.

Mit diesen historischen Hinweisen ist die Geschichte des Prophetismus nicht abgeschlossen. Sie reicht vielmehr bis in die Gegenwart. Denn nicht wenige der sogenannten neuen Religionen beruhen auf prophetischer Offenbarung.

Der Mystiker

Die Begriffe des Mystikers und der Mystik [276] leiten sich ab vom griechischen Verb *mýein*, das „verschließen" bedeutet. Die Mystik ist ein verschlossenes, ein letztlich unaussprechbares Geheimnis, die Erfahrung nämlich des Heiligen im Verborgenen, ein im Innern der Seele sich abspielender Umgang mit dem Höchsten. Das Ziel des Mystikers ist die *unio mystica*, die in der Ekstase erfahrbare Verbindung und Vereinigung mit dem Unendlichen. Erstrebt wird dieses Ziel mit Hilfe von Meditation und Askese.

Die Sprache der Mystik ist symbolisch. Die Bilder des Verbrennens der Kerze, des Verfließens eines Tropfens im Ozean stehen für die Vereinigung der Seele mit dem Göttlichen. Rausch und Trunkenheit sind Umschreibungen für diese Vereinigung. Die Liebesmystik verwendet nicht selten erotische Vergleiche.

Ihrem Wesen nach ist die Mystik eine einheitliche, interreligiöse Größe, die in den unterschiedlichsten Religionen auftreten kann. Damit steht sie in einem schroffen Gegensatz zum Prophetismus, der niemals Akzidens, sondern schlechthin formende Kraft ist und das Wesen einer Religion in ihrer Ganzheit prägt.

Während die Mystik in prophetischen Religionen nur als gelegentliche Strömung des Frömmigkeitslebens auftritt, ist sie eine für die Religionen Indiens und teilweise auch Ostasiens typische Erscheinung. Hierin liegt – unbeschadet der generell nivellierenden Tendenz der Mystik – einer der wesentlichsten Unterschiede zwischen abendländischer und asiatischer, westlicher und östlicher Mystik [277].

In der indischen Religionsgeschichte sind früh zwei unterschiedliche Richtungen der Mystik hervorgetreten. Sie sind bekannt seit den Zeiten der Upanishaden, jenen sich an die vedischen Dichtungen anschließenden religiösen Texte Altindiens [278]. Die eine dieser Richtungen ist gekennzeichnet durch eine impersonale Identitätsmystik. Ihr Ziel ist das völlige Eingehen des *ātman*, der menschlichen Einzelseele, in das neutrale Brahman, das zuvor in einem erlösenden Erkenntnisakt als allein existierende, als einzig reale Größe erfaßt worden ist. Daneben findet sich eine personalistisch-theistische Richtung, die die mystische Vereinigung des Menschen nicht mit einer neutralen Größe, sondern mit einer persönlichen Gottheit erstrebt.

Die Mystik des Buddhismus kennt vier Stufen der Versenkung, die zur Erlangung eines höheren Wissens führen sollen, das die Erkenntnis des Nichtseienden, der völligen Leere *(shūnyatā)* zum Inhalt hat [279]. Im japanischen Zen hat diese Mystik ihre bedeutendste ostasiatische Ausprägung gefunden [280].

In China lehrte Lao-tse eine quietistische Mystik des *wu-wei*, des weltlichen „Nicht-Tuns", die der Versenkung in das allumfassende Tao dienen sollte.

In der Spätantike führte Plotin (205–270), der Begründer des Neuplatonismus, die Ideen Platons in einem gnostisch-mystischem Sinne weiter. Auch die Orphik gewann mystische Züge.

Neuplatonische und indische Gedanken haben die Entwicklung einer islamischen Mystik gefördert, des Sufismus, der gegen rechtlichen Formalismus und eine Verweltlichung des Islam auftrat und vom 10. bis 13. Jahrhundert seine Blütezeit erlebte [281].

Die unter der Bezeichnung Kabbala bekanntgewordene jüdische Mystik entstand im 13. Jahrhundert in Spanien und Südfrankreich [282]. Ihr grundlegendes literarisches Werk ist der Zohar, der „Lichtglanz" des Moses de León (1250–1305). Die letzte Phase jüdischer Mystik ist der durch Martin Buber (1878–1965) weithin bekanntgewordene Chassidismus, der im 18. Jahrhundert in Polen und in der Ukraine entstanden war.

Zu den großen Mystikern des christlichen Mittelalters [283] zählen Bernhard von Clairvaux (1091–1153), Bonaventura (1221–1274), Meister Eckart (ca. 1260–1327), Johann Tauler (ca. 1300–1361) und Heinrich Seuse (ca. 1295–1366). Mystische Einflüsse prägten auch das Frömmigkeitsleben in christlichen Frauenklöstern des Mittelalters. Zu den großen Mystikerinnen gehören Hildegard von Bingen (1098 bis 1179), Elisabeth von Schönau (ca. 1129–1164), Mechthild von Magdeburg (ca. 1210–1277), Katharina von Siena (ca. 1347–1380) und Teresa de Jesus (1515–1582).

Für die prophetischen, ihrem ursprünglichen Wesen nach der Mystik fremden Religionen, also für Christentum, Judentum und Islam, erhebt sich die Frage, wann und unter welchen Bedingungen in ihnen der Mystiker als Typus religiöser Autorität in Erscheinung tritt. Gershom Scholem schrieb hierüber [284]:

Ist doch Mystik in jeder Religion ein spätes Stadium der Entwicklung, in welchem die positiven Gehalte der betreffenden Religion – und dies gilt ganz besonders für die monotheistischen Religionen – einer Interiorisation unterworfen werden, einer nach innen gekehrten Umdeutung.

Schärfer war das Urteil des dänischen Religionsphilosophen Søren Holm [285]:

Die Mystik ist diejenige Religionsform, die in Erscheinung tritt, wenn der religiöse Emotionalismus in höchstem Grade als Reinzucht betrieben und potenziert wird. Das intellektualistische und voluntaristische Prinzip der Religion wird damit in so hohem Grade eliminiert, wie es überhaupt möglich ist.

Der Lehrer

Als Typus religiöser Autorität, als selbständiger Verkünder religiöser Wahrheiten weist der Lehrer Beziehungen zum Propheten insofern auf, als beide der gemeinsame Abstand gegenüber den Amtsträgern der institutionell festgelegten Religion verbindet, gegenüber dem Priester vor allem, aber auch dem Sakralkönig, der die Verpflichtung der Vertretung seiner Untertanen gegenüber den Göttern erfüllt.

Aber auch zum Propheten ist vom Lehrer her die Grenzlinie scharf gezogen. Ihm fehlt die dynamische Komponente bei der Erkenntnis des neuen religiösen Weges und bei dessen Verkündigung, die sich beim Lehrer in der Ruhe und Gewißheit des vernunftmäßig richtigen Geistbesitzes vollziehen. Denn das der Botschaft des Lehrers zugrundeliegende Erlebnis ist eine entscheidende Einsicht, nicht aber die zwangsläufige Ergriffenheit von Geist und Willen eines Gottes, der der Prophet mit unwiderstehlichem Zwang erliegt.

Dehalb fehlt beim Lehrer das stellvertretende Reden, das Bewußtsein, nur Mund und Zunge eines Höheren zu sein. Und nicht mit einem auftragsgebundenen Sprechen kann er überzeugen, sondern mit der Argumentation, dem Appell an die Einsicht in die Wahrheit seiner Lehre.

Hinter dieser Lehre, und nicht hinter einem Gott, tritt die Person des Lehrers zurück. Die Lehre ist die übergeordnete Größe, die sich von dem personalen Grunderlebnis einer neuen Erkenntnis abgelöst hat und selbständig weiterwirken soll.

Die typologische Zuordnung Buddhas zum Lehrer wird bereits von einem alten Text als Selbstverständnis des Buddha belegt [286]:

Keinen Lehrer habe ich, meinesgleichen gibt es nicht; in der Götter- und Menschenwelt gibt es keinen, der mir gleich wäre. Ich bin der Heilige in der Welt, ich bin der unvergleichliche Lehrer. Ich bin allein der Vollkommenerleuchtete, ruhig bin ich geworden, Nirvāna habe ich erreicht.

Buddha versteht sich nur als Wegweiser der Lehre, hinter die er selbst zurücktritt. Die Irrelevanz seiner Person und die überwertige Bedeutung der Lehre kennzeichnete er sehr drastisch in einem Ge-

spräch [287]. Der kranke Mönch Vakkali hatte gebeten, den Buddha
sehen zu dürfen. Buddha erfüllte ihm den Wunsch; aber er wies ihn
zugleich hin auf die Nutzlosigkeit seines Begehrens:

Was soll dir der Anblick dieses meines der Fäulnis verfallenen Körpers? Wer
da, o Vakkali, die Lehre schaut, der schaut mich; wer mich schaut, der schaut
die Lehre. Denn wenn man die Lehre sieht, sieht man mich, und wenn man
mich sieht, sieht man die Lehre.

Und auch das ist charakteristisch für die Haltung dieses Lehrers
Buddha, daß ihm nach der Erlangung seiner eigenen Erleuchtung Zweifel kommen über die Sinnhaftigkeit einer Verkündigung für andere.
Gewiß, auch die Propheten schrecken zurück vor der Schwere der
ihnen zuteil gewordenen Aufgabe. Doch bei ihnen wird die Krise
überwunden durch die innere Nötigung zur prophetischen Rede, die
bedingt ist durch göttlichen Willen und Befehl. Aber das alttestamentliche

Muß ich nicht das halten und reden, was mir der Herr in den Mund gibt? [288]

ist dem Auftreten Buddhas fremd. Und es ist nicht der prophetische
Zweifel am Genügen der eigenen Person für die ihr gestellte Aufgabe,
der bei Buddha vor dem Entschluß zur Verkündigung steht, sondern
die kritische Überlegung des autonomen Menschen über den Sinn seines Handelns. Kein Rechten mit Gott, sondern Skepsis über die Auf-
nahmefähigkeit der Mitmenschen für seine Botschaft klingt aus der
zweifelnden, in inhaltlich übereinstimmender Weise von verschiedenen
Texten überlieferten Frage:

Wozu der Welt offenbaren, was ich in schwerem Kampfe errang? –

Zum Typus des Lehrers gehört auch Konfuzius – trotz der erheb-
lichen Unterschiede, die gegenüber Buddha hinsichtlich der Person und
des Lehrinhaltes bestehen. Es war die Intention des Konfuzius, seiner
eigenen, durch moralischen Verfall gekennzeichneten Zeit die normativen Werte des chinesischen Altertums in der Weise, wie sie sich ihm
darstellten, als Lehrer zu vermitteln. Diese Konzentration des Konfuzius auf die Lehre der alten Überlieferungen tritt sehr deutlich hervor in der folgenden Geschichte [289]:

Tsch'en K'ang fragte Po-yü, den Sohn des Konfuzius, und sprach: Hast
du von deinem Vater etwas Besonderes gelernt? – Er antwortete: Nein, nur
als er einmal allein stand und ich eilends an ihm in der Halle vorbeiging,
sprach er: Hast du die alten Lieder studiert? – Ich antwortete: Nein. – (Er
sagte:) Wer nicht die Lieder studiert hat, mit dem kann man nicht reden. –
Ich zog mich darauf zurück und studierte die Lieder. Ein andermal stand er

wieder allein, und ich ging eilends in der Halle an ihm vorüber. Da sprach
er: Hast du die alten Bräuche studiert? – Ich antwortete: Nein. – (Er sagte:)
Wer nicht die alten Bräuche studiert hat, hat keinen Grund, auf dem er
stehen kann. – Ich zog mich zurück und studierte die alten Bräuche. Nur
dieses beides habe ich gelernt.

Der Stifter

Der Prophet, der Mystiker, der Lehrer – sie alle können zum Stifter
einer Religion werden, wenn sie Jünger erwählen und berufen, die
später als Apostel die neue Botschaft weitertragen [290].
Der Stifter offenbart neue Werte. Sie sind das Grundmotiv seiner
Botschaft und bilden das Prinzip der Auslese überkommenen religiösen
Gutes. Damit bestimmen sie dessen Abwehr, teilweise Übernahme oder
Modifikation. Die in der Bergpredigt mehrfach wiederholte Gegen-
überstellung [291]:

Ihr habt gehört, daß zu den Alten gesagt ist . . . Ich aber sage euch . . .

ist typisch für die Verkündigung einer neuen Offenbarung.
Keine Religion entsteht aus dem Nichts, keine Stiftung erfolgt in
einem religiösen Vakuum. Die historische Bedeutung großer Religionsstifter wird dadurch nicht geschmälert [292]. Es ist bekannt, daß Mohammed nicht allein auf dem Boden der altarabischen Religion stand. Er
übernahm die manichäische Offenbarungslehre, und biblische Stoffe
fanden Eingang in den Koran. Die Originalität seiner Stiftung, die
Echtheit seines religiösen Anliegens blieben davon unberührt. Sie
waren geprägt durch die vorrangige Sorge um Vorbereitung seiner
Araber auf die Furchtbarkeit des endzeitlichen Gerichtstages. Hinzu
kam, an zweiter Stelle in der historischen Entwicklung seiner Botschaft, das exklusiv monotheistische Bekenntnis zu Allah.
Wie mit dem in der eigenen Tradition vorgefundenen religiösen
Erbe, so ist auch jeder Neustiftung die Aufgabe gestellt, sich ausein-
anderzusetzen mit dem sie umgebenden religiösen Pluralismus. Sie
kann diesen als Entartung und Verderbnis einer ursprünglich reinen
Offenbarung auffassen. Dies tat Mohammed mit seiner Fiktion einer
von Juden und Christen verfälschten Abrahamsreligion; daher heißt
es im Koran [293]:

Abraham war weder Jude noch Christ; vielmehr war er reiner Monotheist,
ein Muslim und keiner derer, die Gott Gefährten geben.

Die Wiederherstellung einer einstmals reinen Lehre bezeichnete auch

Mani in seiner Verteidigungsrede vor dem Sassanidenkönig Bahram I.
als sein eigentliches Anliegen [293a]:

Frage alle Menschen nach mir: ich habe keinen Meister und keinen Lehrer,
von dem ich diese Weisheit gelernt hätte oder von dem ich diese Dinge hätte.
Sondern: als ich sie empfangen habe, habe ich sie von Gott durch seinen Engel
empfangen. Von Gott wurde mir Botschaft gesandt, daß ich diese in deinem
Reich predigen sollte. Denn diese ganze Welt war in die Irre gegangen und
auf Abwege geraten; sie war freventlich von der Weisheit Gottes, des Herrn
des Alls, abgefallen. Ich aber habe von ihm empfangen und den Weg der
Wahrheit inmitten des Alls offenbart, auf daß die Seelen dieser Vielen ge-
rettet würden und der Strafe entgingen. Denn das Zeugnis für alles, was ich
bringe, liegt zutage; alles, was ich verkünde, bestand bereits in den früheren
Generationen. Aber das ist die Gewohnheit, daß der Weg der Wahrheit bisweilen sich zeigt und bisweilen sich wieder verbirgt.

Eine zweite Haltung, die Neustiftungen gegenüber vorgefundenen
Religionen einnehmen, besteht in deren relativer Anerkennung. Sie
kommt treffend zum Ausdruck in den Worten eines Würdenträgers
des 1926 gestifteten südvietnamesischen Caodaismus [294]:

Die Lehre des Moses ist die Knospe, die Lehre Christi die Blüte, der Cao-
daismus die Frucht. Die Blüte zerstört nicht die Knospe, die Frucht nicht die
Blüte, sondern jedes folgende Stadium der Entwicklung der Pflanze ist eine
Vervollkommnung des früheren Zustandes.

Es ist deutlich, daß die beiden unterschiedlichen Haltungen, die Neustiftungen gegenüber dem religiösen Pluralismus einnehmen, jeweils
begründet sind in einem bestimmten Verständnis von Offenbarung.
Einmal herrscht die Vorstellung von einer im Laufe der Zeit verderb-
ten Offenbarung, deren Wiederherstellung in ursprünglicher Reinheit
die Aufgabe des Stifters ist. Im zweiten Fall handelt es sich um den
Gedanken einer sukzessive fortschreitenden Offenbarung, an deren
Ende im Glauben seiner Gemeinde ihr eigener Stifter steht. –

Es besteht kein Zweifel über den Wechsel von Zeiten minderer religiöser Spannung mit solchen einer starken und erwartungsvollen, die
aufnahmebereit ist für den neuen Religionsstifter. Nicht selten treten
dann mehrere Stifter als Konkurrenten auf. Der Entscheid über den
Erfolg des einen und das Scheitern des anderen kann in die Lebenszeit
eines Stifters fallen oder sich erst unter seinen Jüngern vollziehen.
Buddha konnte seinen Vetter Devadatta, der eine andere Ordensdis-
ziplin begründen wollte, selbst überwinden. Rivalitäten zwischen den
Jüngern Jesu und denen Johannes' des Täufers sind wohl erst im apo-
stolischen Zeitalter aufgetreten. Mohammed hat seinen gefährlichsten
Gegner, den Propheten Musailima, nicht selbst überwinden können.

Erst zwei Jahre nach Mohammeds Tode haben muslimische Krieger Musailima und seine Anhänger vernichtend geschlagen. Erfolg oder Scheitern eines Stifters kann beschrieben werden, und es ist möglich, über Voraussetzungen zu reflektieren. In jedem Falle aber bleibt ein Rest des Unwägbaren, der sich rationaler Deutung entzieht.

Der Reformator

Zum Stifter steht der Reformator in enger Beziehung. Er ist ein Typus religiöser Autorität, der auf Grund eigener, übermächtiger Erfahrung des Heiligen sich gegen die herrschende religiöse Praxis seiner Zeit auflehnt, seine Verkündigung aber nicht als völlig neue Botschaft auffaßt, sondern als Wiederherstellung eines verlorengegangenen Urverständnisses. In diesem Sinne versteht man Luther, Zwingli und Calvin als Reformatoren.

Die persönliche Intention des großen Religiösen, der durch Rückgriff auf die Ursprünge seiner Religion eine Reform bestehender Zustände erstrebt, ist jedoch deshalb nicht allein ausschlaggebend für seine spätere, historische Wertung, weil er unbeabsichtigt den Bildungsprozeß einer Religion eingeleitet haben kann, der erst nach seiner Wirkungszeit zu einem relativen Abschluß gelangt.

Konfuzius und der Konfuzianismus sind wohl der beste Beleg dafür, daß der Reformator nicht immer eindeutig vom Stifter zu trennen ist. Von Konfuzius ist der Ausspruch überliefert [295]:

Ich schaffe nicht neu, ich überliefere, ich glaube an das Altertum und liebe es.

Deutlich betont wurde damit die reformatorische Absicht des Rückgriffs auf das chinesische Altertum, eine Absicht, die zugleich die Stiftung einer neuen Religion ausschloß. Daß der Konfuzianismus dennoch die Bedeutung einer Religion erlangte, war durch die nachfolgende Entwicklung bedingt. Bald nämlich nach dem Tode des Meisters läßt ihm der Herzog Ai von Lu einen Tempel erbauen. Das mag noch im Rahmen der traditionellen Ahnenverehrung zu verstehen sein. Doch diese wurde bald über die kultische Verpflichtung eines engeren Kreises ausgedehnt und von der Han-Dynastie (206 v. Chr.–220 n. Chr.) zur Staatsangelegenheit gemacht. Der erste, der dann am Grabe des Konfuzius offizielle Opfer darbrachte, war der Kaiser Kao Tao.

Erst mit der offiziellen Verehrung des Konfuzius als Begründer der Lehren, die nun alleinige Geltung im chinesischen Staate haben sollten, wurde der Konfuzianismus zu einer Religion [296].

Wenn sich bei Konfuzius noch die eigene Intention von ihrer späteren Auswirkung scheiden läßt, so ist dies bei dem ägyptischen König Echnaton (ca. 1370–1352) kaum möglich, was zu den unterschiedlichsten Wertungen seiner religiösen Absichten geführt hat. Sicher ist, daß er die ausschließliche Verehrung des Sonnengottes Aton gegen den vorgefundenen ägyptischen Polytheismus durchsetzen wollte. Man hat ihn daher einerseits als ersten Monotheisten der Weltgeschichte gepriesen [297], und man muß ihn bei dieser Einschätzung dem Typus des Religionsstifters zuordnen.

Eine andere Wertung ergibt sich, wenn man der Annahme folgt, das Bekenntnis zum Sonnengotte Aton sei, unbeschadet des Namenswechsels, eine Anknüpfung an die Verehrung des Sonnengottes Re gewesen, die in der 5. Dynastie des Alten Reiches Staatsreligion war [298]. Dann nämlich wäre Echnaton als Reformator anzusehen.

Der Priester

Das Wort „Priester" leitet sich ab vom griechischen *presbýteros,* womit der „Ältere, Ehrwürdigere" gemeint ist. Im terminologischen Sinn ist „Priester" Titel und Amtsbezeichnung des offiziellen Mittlers zwischen den göttlichen Mächten und den Laienanhängern einer Religion [299].

Vorstufen eines amtlichen Priestertums bestehen einmal in der Wahrnehmung sakraler Funktionen durch den *pater familias,* das Oberhaupt der Familie. Andererseits kann der König, insbesondere der Sakralherrscher, als Vorgänger des Priesters angesehen werden, insofern die Ausübung ritueller Aufgaben zunächst sein Privileg und zugleich seine vornehmste Pflicht darstellte, er aber dann, angesichts einer steigenden Zahl von Tempeln, gezwungen war, seine kultischen Verpflichtungen zunehmend an einen hierauf spezialisierten Stand, eben den des Priesters, zu delegieren.

Der Priester handelt nicht aus eigener Machtvollkommenheit, sondern kraft göttlicher Vollmacht und auf Grund einer *Weihe,* die ihm in einem Ordinationsakt vermittelt wird, zu dem im allgemeinen Handauflegung, Salbung, Reinigung und Übertragung geheimen Wissens gehören.

Dieses priesterliche *Wissen* umfaßt in archaischen Kulturen nicht allein theologische Kenntnisse, sondern praktisch alle Wissensgebiete. Die frühzeitliche Einschätzung der Wissenschaft, die ganz dem religiösen Bereich zugeordnet wird, bedingt es, daß der Priester über

historische, juristische und medizinische Kenntnisse verfügt. Er weiß
ferner über astrale Vorgänge Bescheid, und er ist der Schöpfer des
Kalenders.

Die Tradierung dieses priesterlichen Wissens kann, wie es im indischen Brahmanentum geschah, vom Vater auf den Sohn erfolgen. Eine
andere Möglichkeit besteht in der Ausbildung des Priesternachwuchses
in speziellen Priesterschulen, deren Besuch mit der Ablegung von Prü-
fungen beendet wird.

Die eigentlich religiösen *Aufgaben* des Priesters sind mannigfaltig
und unterschiedlich hinsichtlich der vorrangigen Intentionen seiner
Religion. In Religionen schriftloser Kulturen versieht der Priester oft
Funktionen des Medizinmannes wie auch des Mantikers, der zuständig
ist für die Erteilung von Orakeln. Der Vollzug kultischer Handlungen, vornehmlich des Opfers, gehört stets zu seinen Aufgaben. Hinzu
tritt auf vergeistigter Stufe eine Stellvertretung vor Gott, die in der
Übermittlung von Gebeten einerseits, im Spenden des Segens und in
der Seelsorge andererseits Ausdruck findet.

Die Organisation des Priestertums wie auch die Fülle priesterlicher
Aufgaben bewirken eine Differenzierung der Funktionen und damit
eine Aufgliederung in verschiedene *Priesterklassen,* die rangmäßige
Unterschiede aufweisen und somit einer Hierarchie bilden, an deren
Spitze der Hohepriester steht.

Innerhalb der menschlichen Gesellschaft nimmt das Priestertum eine
Sonderstellung ein, die durch besondere Vorrechte und äußerlich meist
durch eine Amtstracht gekennzeichnet ist. Auch können Tabu-Vorschriften den Priester von den Laienanhängern seiner Religion abson-
dern. Die Ehr- und Moralbegriffe des Priestertums, zu denen das
Gebot eines zölibatären Lebens rechnen kann, sind im allgemeinen
durch besondere Strenge ausgezeichnet.

Innerhalb der Gesellschaft kann sich das Priestertum zur bevorrech-
tigten Kaste entwickeln; typisch hierfür sind die indischen Brahmanen
und die keltischen Druiden. Für die *Macht,* die die Druiden besaßen,
sind Ausführungen Cäsars bezeichnend [300]:

In ganz Gallien gibt es zwei Stände von Menschen, die irgendwelche Geltung
und Ehre genießen . . . Der eine ist der der Druiden, der andere der der
Ritter. Die Druiden versehen den Götterdienst, besorgen die öffentlichen und
privaten Opfer und legen die Religionssatzungen aus. Bei ihnen finden sich
in großer Zahl junge Männer zur Unterweisung ein, und sie genießen hohe
Verehrung. Denn sie entscheiden bei fast allen öffentlichen und privaten
Streitigkeiten. Sie sprechen das Urteil, wenn ein Verbrechen begangen wurde,
ein Mord geschah, Erbschafts- oder Grenzstreitigkeiten ausbrechen; sie setzen

Belohnungen und Strafen fest. Fügt sich ein Privatmann oder ein Volksstamm ihrem Entscheid nicht, so schließen sie die Betroffenen vom Götterdienst aus. Dies stellt bei ihnen die härteste Strafe dar. Die so Ausgeschlossenen gelten als gottlose Verbrecher, ihnen gehen alle aus dem Wege, ihre Annäherung und ihr Gespräch meidet man, um nicht aus der Berührung mit ihnen Nachteil zu erleiden. Ihnen wird, auch wenn sie um ihn nachsuchen, kein Rechtsbescheid erteilt, noch wird ihnen irgendwelche Ehrung erwiesen.

Die höchste Machtsteigerung des Priestertums tritt dann ein, wenn seine Hierarchie zum staatstragenden Element wird. Typisch hierfür war die Entwicklung des Lamaismus in der tibetischen Geschichte, die zur *Hierokratie* in einem voll ausgebildeten Priesterstaat führte.

Hinsichtlich seiner *Wertung* lassen sich unterschiedliche Einschätzungen des Priestertums aufweisen. Religionen, in denen kultische Handlungen und geheimes Wissen eine vorrangige Rolle spielen, betonen die Bedeutung des Priestertums. Für eine besonders hohe Wertschätzung sind Ausführungen charakteristisch, die einst aztekische Adlige in einem Religionsgespräch zur Zeit der Conquista den franziskanischen Missionaren machten [301]:

Noch sind vorhanden, die uns führen, uns tragen, uns regieren wegen des Dienstes an unseren Göttern, deren Untertanen das Volk ist: Priester, Räucherpriester und Federschlangen [302] heißen sie, Wisser des Wortes. Und ihre Pflicht, mit der sie sich nachts und täglich befassen, ist das Niederlegen von Kopal, das Räuchern, die Kasteiung, das Sich-Blutabzapfen.

Sie beobachten, sie sorgen sich um die Bahn, den weisen Lauf des Himmels; wie die Nacht eingeteilt wird. Und sie forschen, sie zählen, sie legen auf die Bücher, die Schriften, die Bildmalereien, die sie mit sich führen. Sie sind es, die uns tragen, uns führen, uns den Weg weisen. Sie sind es, die ordnen, wie ein Jahr fällt, wie die Tageszählung verläuft und die Zählung von zwanzig Tage-Einheiten.

Das ist es, was sie besorgen. Sie sind die Beauftragten, ihnen ist es anvertraut, sie sind die Träger der Gottesworte.

Gegenüber einer derartigen Hochschätzung des Priestertums weisen prophetische Religionen oft ein spannungsreiches Verhältnis zum offiziellen Priestertum auf. Es tritt im Alten Testament deutlich zutage, und der Islam, eine typische prophetische Religion, kennt überhaupt kein spezielles Priestertum.

Der Schamane

Schamane und Schamanismus [303] sind religionswissenschaftliche Begriffe, die sprachlich vom tungusischen *shaman* abzuleiten sind, das
seinerseits früher meist auf das Pāli-Wort *samana*, „Asket, Einsiedler",
zurückgeführt wurde [304]. Heute neigt man eher dazu, an eine Verbindung mit den mandschurischen Wörtern *samarambi*, „sich empören,
um sich schlagen", und *samdambi*, „tanzen", zu denken [305].
Neben dem tungusischen Begriff *shaman* finden sich jedoch innerhalb der Verbreitungsgebiete des Schamanismus sehr unterschiedliche
Appellativa für den Schamanen. Er heißt bei zentralasiatischen Turk-
völkern *qam*, bei den Mongolen *böge*, den Jakuten *ogum*, in der
Inneren Mongolei *gurtum*, bei den Lappen *noide*, den Eskimos *anga-
qoq* und den alten Ungarn *táltos*.
Der Schamane ist ein Typ religiöser Autorität, der nicht auf männ-
liche Träger der Schamanenwürde begrenzt ist. Vielmehr finden sich
neben ihm auch weibliche Schamaninnen [306]. Die Tradierung des Scha-
manenamtes geschieht oft durch Vererbung, wobei jedoch meist die
definitive Übernahme an den Vollzug von Initiationsriten gebunden
ist.
Sachlich wird mit Schamanismus eine „Technik der Ekstase" [307] bezeichnet, deren Ziel die Gewinnung übernatürlicher Kräfte ist. Mit
der Schamanentrommel, seinem wichtigsten Requisit, aber auch durch
Glöckchen, andauernden Tanz oder Narkotika versetzt sich der Schamane in Trance. Während dieses Zustandes unternimmt er eine Seelen-
reise zum Himmel und setzt sich mit Geistern in Verbindung. Dies
dient dem Zweck, übersinnliche Erkenntnisse zu gewinnen, böse Geister zu bannen und gnädige zu Beistand und Hilfe für die Menschen
zu veranlassen.
Wahrscheinlich ist Christian Wilhelm Flügge, ein Theologe, der als
erster an der Universität Göttingen religionsgeschichtliche Vorlesungen
hielt, derjenige gewesen, der um 1880 zuerst den Schamanismus als
Phänomen bei arktischen Naturvölkern erkannte. In der Tat ist der
Schamanismus eine Technik der Ekstase, die vornehmlich für Völkerschaften in arktischen, sibirischen und zentralasiatischen Gebieten
charakteristisch ist. Jedoch ist sie noch weit über diese Bereiche hinaus
verbreitet. Schamanistische Praktiken finden sich auch im ozeanischen
Raum und vor allem in Südamerika [308], und eine noch weitere Verbreitung ist für geschichtlich frühe Zeiten angenommen worden.
Die Weite dieser Verbreitungsgebiete hat im Zusammenhang mit
religionskritischen Tendenzen gelegentlich zu einer Erweiterung und

Unschärfe des Begriffs Schamanismus geführt, mit dem man dann mehr oder weniger alle religiösen Erscheinungen zu erfassen, zu nivellieren und auf magisch-ekstatische Praktiken zu reduzieren versuchte. Als besonders krasses Beispiel sei die Behauptung zitiert, Dantes Schau der drei Jenseitsreiche in der ›Divina Commedia‹ beruhe auf einer schamanistischen Wanderung [309].

Versuche dieser Art verkennen das christlich-mittelalterliche Weltbild und die Größe Dantes ebenso wie das Wesen des Schamanismus. Entscheidend nämlich ist, daß der Schamanismus keine Religion im Vollsinn des Wortes darstellt. Er ist vielmehr eine interreligiöse Strömung, die an Religionen mit sehr verschiedenen Inhalten herantreten kann, ohne auf diese Inhalte einen prägenden Einfluß auszuüben.

Der Schamanismus ist keine besondere Religion, eher eine religiös-magische Technik, die als solche in verschiedenen Religionsformen vorkommen kann [310].

Deshalb bleibt der Schamanismus auch ohne Einfluß auf den Götterglauben. In seinen Verbreitungsgebieten werden die unterschiedlichsten Gottheiten verehrt. Und neben dem Schamanen kann durchaus ein Priestertum als selbständige Institution bestehenbleiben. Ohnehin ist der nächste Verwandte des Schamanen nicht der Priester, sondern der Zauberer und der Medizinmann.

Bereits früher ist von einem seiner Erforscher der Schamanismus dem Sinne nach als eine solche interreligiöse Strömung gekennzeichnet worden. Åke Ohlmarks schrieb [311]:

Eine Religion im eigentlichen Sinne ist ja der Schamanismus nicht ... Eher wäre er als eine Art Religions-Surrogat zu betrachten.

Der Verborgene Heilbringer

Während die bislang behandelten Typen religiöser Autorität eine sakral legitimierte Ausnahmestellung besaßen, die *während ihrer Lebenszeit* die Hochachtung und Verehrung ihrer Mitmenschen bewirkte, sind noch einige Typen religiöser Autorität aufzuweisen, die diese Bedeutung, wenn nicht ausschließlich, so doch im wesentlichen erst *posthum* gewannen.

Hierzu gehören Gestalten, die wir mit „Verborgener Heilbringer" bezeichnen [312]. Wir sondern damit aus der Vielzahl der in unscharfer und oft verwirrender Weise mit „Heilbringer" bezeichneten Typen eine klar umrissene Gestalt aus. Es handelt sich um den „entrückten Helden" oder « héros revenant »; auch von der „survivance des Herr-

schers" und vom „Barbarossa- oder Kyffhäuser-Motiv" hat man gesprochen. Die Bezeichnung „Verborgener Heilbringer" dürfte der Sicht
und Hoffnung derer, die in der Erwartung seiner Rückkehr standen,
am angemessensten erscheinen.

Das Motiv, das weltweit verbreitet ist und offensichtlich keiner zeitlichen Begrenzung unterliegt, betrifft den Weggang aus der Welt des
Irdischen und das Weiterleben an einem Ort, der gewöhnlichen Sterblichen unzugänglich ist, im Innern eines Berges oder einer Burg, in
einem fernen, unerreichbaren Land, meist einer Insel, oder auch in
himmlischen Gefilden. Von dort wird der Verborgene Heil spenden,
und seine erwartete Rückkehr wird eine segensreiche Zeit einleiten.

Die Sagenbildung rankt sich um Gestalten, die bereits während ihrer
irdischen Lebenszeit eine Sakralisierung erfuhren. Meistens, aber nicht
ausschließlich sind es verstorbene Herrscher. Mit der Erwartung ihrer
späteren Rückkehr verliert die Sage von ihrem verborgenen Fortleben
einen unverbindlichen, quasi nur unterhaltenden Charakter und gewinnt existentielle Bedeutung für die Lebenden.

Eine religiöse Komponente tritt auch mit der *Angleichung an den
Mythos* in Erscheinung. Bei Barbarossa, der im Kyffhäuser verweilt
und dort auf seine Wiederkehr wartet, ist dies greifbar deutlich. Denn
der rote Bart dieses Herrschers, der ihm seinen Beinamen gab, verwies
auf Donar, den nordischen Thor, der geschildert wird als ein Mann,
„stattlich an Wuchs und jugendlich, schön von Angesicht und rot-
bärtig".

Der Glaube an spätere Rückkehr und heilbringendes Handeln verbindet sich nicht mit jeder sakralisierten Gestalt. Hinzu treten vielmehr *auslösende Motive der Sagenbildung*.

Hierzu gehört die Tragik eines frühen Todes. Sie hat oft dazu geführt, den vorzeitig Vollendeten überirdischen Glanz zu verleihen und
die Sage anzuregen, die sich um sie bildet. Als Alexander der Große
im Jahre 323 v. Chr. stirbt, ist er 33 Jahre alt. Die Sage bemächtigt
sich seiner Gestalt und berichtet, der große Makedone habe nur vom
Leben unter den Menschen Abschied genommen, durchziehe aber noch
in gespenstischem Zug fremde Länder, Himmel und Meeresgrund und
werde dereinst zu den Lebenden zurückkehren. Und dieser Glaube
blieb derart lebendig, daß die Araber in jenen Tagen, als Napoleon angesichts der Pyramiden kämpfte, meinten, es sei Alexander der Große.

Der Tod hatte den großen Alexander in Babylon erreicht, fern seiner makedonischen Heimat. Mit dem frühen Tod fällt der Tod in der
Fremde zusammen, der bereits an sich sagenbildende Kraft entfaltet,
weil das ferne, fremde Geschehen, von dem die Heimat erst nachträg-

lich Kunde erhält, den Zweifel weckt. Es ist nicht selten, daß mehrere Motive zusammentreten, die die Sage vom Verborgenen Heilbringer auslösen.

Dies ist in charakteristischer Weise bei Sebastian von Portugal der Fall. Die Momente eines frühen und zudem gewaltsamen Todes stehen gemeinsam mit dem des Sterbens in der Fremde am Beginn der Sagen- bildung um Sebastian. Er, der in Nordafrika ein christliches Reich gründen wollte, fällt in verlorener Schlacht auf marokkanischem Bo- den. Hinfort gilt er als geheimnisvoll verborgener König, der auf einer fernen Insel leben oder sich in ein Kloster zurückgezogen haben soll, aus dem er eines Tages wiederkommen und die Größe des portugiesi- schen Reiches erneuern werde. Sebastian war 1578 gefallen. Der feste Glaube an seine Sage zeigt sich darin, daß im Jahre 1640 Johann IV., der nach einer Periode spanischer Vorherrschaft als erster Herrscher des Hauses Braganza den portugiesischen Thron besteigt, schwören muß, sofort abzudanken, so- bald Sebastian zurückgekehrt sei.

Die Hoffnung auf einstige Rückkehr kann aber auch teilweise oder gänzlich zurücktreten gegenüber dem dann vorherrschenden Glauben, daß der Verborgene Heilbringer gerade aus seiner Verborgenheit her- aus Heil und Segen vermittele. Es ist *der ferne König,* der unerreich- bare, aber schlechthin ideale Herrscher, dessen Existenz in absoluter Verborgenheit als notwendig erachtet wird. In der Sage von Parzival und dem Gral hat dieser Typus des Verborgenen Heilbringers seine für das europäische Mittelalter so bedeutsame Ausprägung gewonnen.

Der Gotteshüter

Die Bezeichnung „Gotteshüter" [313] ist eine wörtliche Übersetzung des aztekischen Begriffs *teopixqui.* Wir wählen sie, weil der damit gemeinte Typ religiöser Autorität vornehmlich für den indianischen Bereich charakteristisch und mit diesem Begriff in treffender Weise bezeichnet ist. Es handelt sich um den Vertreter des Nagualismus in seinem ursprünglichen Sinn, der die Simultanexistenz eines einzelnen Menschen, meist eines Priesters, mit dem von ihm verehrten Gott be- trifft.

Unser religionswissenschaftlicher Terminus *Nagualismus* ist, auf dem Weg über das Spanische, zurückzuführen auf den aztekischen Begriff *nahualli,* der „Verkleidung, Maske" bedeutet. Der ursprüngliche Sinn von Verkleidung und Maske ist nicht Verhüllung, sondern Offen-

barung und Identifikation des Maskenträgers mit der von ihm darge-
stellten Persönlichkeit [313a]. In diesem Sinne sind im aztekischen Bereich
Mexikos Quetzalcoatl und Huitzilopochtli Gotteshüter gewesen, die
sich mit dem Namen des von ihnen verehrten Gottes zugleich auch
dessen Tracht zulegten.

Von Quetzalcoatl wird berichtet, daß er als seine Verkleidung
Federschmuck und die Türkisschlangenmaske anlegte, die alte Symbole
einer himmlischen und lebensspendenden numinosen Macht waren. In
einen noch engeren Zusammenhang stellen Bilderhandschriften die
nagualistische Verbindung des Gottes mit dem Menschen Huitzilopochtli. Sie zeigen ein menschliches Antlitz, das aus dem geöffneten
Schnabel eines Kolibris hervorsieht – eines Kolibris deshalb, weil
Huitzilopochtli „der Kolibri des Südens" bedeutet.

Die Konsequenz dieser nagualistischen Verbindung besteht in einer
sukzessiven Identifikation des Priesters mit seinem Gott. Von Hiutzilo-
pochtli wird dies in einem aztekischen Text überliefert, der über die
frühen Wanderungen der Azteken berichtet. Dort heißt es:

Ihr Führer war der namens Huitzilopochtli, der große Hüter des Dämons,
der Diener des großen Dämons, des Schreckensgottes; der sprach ganz leib-
haftig mit ihm, dem zeigte sich der (Gott) Huitzilopochtli, so daß er (der
Hüter des Gottes) sich später als sein Abbild an dessen Stelle setzte, (an die
Stelle des) Schreckensgottes. Darum wurde er (der Hüter des Gottes) einfach
Huitzilopochtli genannt.

Es bedarf keiner Frage, daß Gestalten, die, wie es dieser Text bezeugt, als „Abbild" ihres Gottes galten, zu ihren Lebzeiten eine Ausnahmestellung besaßen; und literarische Zeugnisse bestätigen dies ausdrücklich für Huitzilopochtli und für Quetzalcoatl. Ebenso wesentlich
aber und kennzeichnend für den Typus des Gotteshüters ist die post-
hume Verehrung, die ihn den Göttern gleichstellt. Darin vor allem
unterscheidet er sich vom Verborgenen Heilbringer, dessen Gestalt
wohl mythischen Vorstellungen angeglichen, niemals aber selbst ver-
göttlicht wird. –

Wenn auch die Erscheinung des Gotteshüters vornehmlich für Meso-
amerika bezeichnend ist, so kann doch zusätzlich auf Begriffe aus
anderen Bereichen der Religionsgeschichte verwiesen werden, die zumindest sehr ähnliche Vorstellungen nahelegen.

Das gilt einmal für die japanische Bezeichnung *kannushi,* heute ein
allgemeines Appellativ für den Priester des Shintō, deren wörtliche
Bedeutung jedoch „Gottherr" ist und die ursprünglich für das spiri-
tistische Medium einer Gottheit verwendet wurde [314].

In der Inneren Mongolei bezeichnet man den Schamanen mit *gur-*

tum; zugrunde liegt der tibetische Begriff *sku-rten,* der „Behältnis einer Gottheit" bedeutet [315]. Das läßt zweifellos auf einen Sinngehalt schließen, der demjenigen von „Gotteshüter" sehr nahe kommt.

Der Märtyrer

Eine Gestalt, die durch Leiden und Tod und daher erst posthum zu einem Typus religiöser Autorität wird, ist der Märtyrer [316]. Er ist, was *mártys,* das griechische Etymon seiner Bezeichnung aussagt, der „Zeuge" im religiösen Verständnis, also der Glaubenszeuge, der als Blutzeuge für sein Bekenntnis blutige Strafen und meist den Tod erleidet und nach diesem Tod eine religiöse Erhöhung erfährt [317].

Das Martyrium findet sich in der Religionsgeschichte generell dort, wo das Festhalten am eigenen Glauben den Einsatz des Lebens erfordert. Dies ist vor allem dann der Fall, wenn die staatliche Macht sich mit einer bestimmten Religion weitestgehend identifiziert und in den Bekennern anderer Glaubensformen eine Beeinträchtigung der staatstragenden Religion und damit ihrer eigenen Herrschaft erblickt. So war die große Buddhistenverfolgung, die im Jahre 845 n. Chr. in China stattfand, wesentlich in dem Widerspruch begründet, den die zölibatäre Lebensweise der buddhistischen Mönche zum konfuzianischen Ideal des Lebens in Familie und Staat darstellte.

Aber nicht nur die etablierte Macht kann diejenigen, in denen sie eine Bedrohung ihrer Ordnung erblickt, zum Martyrium verurteilen. Der Märtyrertod kann vielmehr auch innerhalb einer Religion von denjenigen ihrer Bekenner gefordert werden, die sich kämpfend für die Verbreitung dieser Religion einsetzen. Dies war vornehmlich in der frühen Ausbreitungszeit des Islam der Fall; die im *dschihad,* im heiligen Glaubenskrieg, Gefallenen galten als Märtyrer, denen der unmittelbare Eingang ins Paradies offenstand.

Den umfassendsten Versuch, mit den Mitteln grausamer Macht einen neuen Glauben zu unterdrücken, stellten die *Christenverfolgungen* des Römischen Reiches dar, die mit Nero begannen und andauerten, bis Konstantin der Große die Kirche in den Staat aufnahm. Die Christen, die sich weigerten, ihren Glauben abzuschwören, traf das *damnare in metallum,* die Verurteilung zur Zwangsarbeit in Bergwerken, die Todesstrafe durch Enthauptung oder Kreuzigung, vor allem die Hinrichtung *ad leones.*

Damit aber begann zugleich die Verehrung dieser Märtyrer. Ihre christlichen Glaubensbrüder waren bestrebt, ihnen ein feierliches Be-

gräbnis zu bereiten. Die junge Gemeinde versammelte sich zum Jahrestag seines Todes am Grabe des Märtyrers. Seine Anerkennung als eines
Types religiöser Autorität fand ihren offiziellen Abschluß in der Eintragung von Namen und Lebensbeschreibung des Märtyrers in ein
Martyrologium, einen Festkalender der christlichen Märtyrer und
Heiligen. Verbindlich für die katholische Kirche ist seit 1584 das
Martyrologium Romanum geworden.

Der Heilige

Wie der Märtyrer, der erste und ursprüngliche Heilige des Christentums, so sind Heilige schlechthin Menschen, die nach ihrem Tode eine
religiöse Verehrung genießen. Im Gegensatz zum Märtyrer aber wird
diese Verehrung weder durch einen Glaubenstod ausgelöst noch ist sie
ausschließlich postmortal; sie kann dem heiligen Menschen vielmehr
bereits im Diesseits zuteil werden. Dabei sind Hilfe für andere und
Wundertaten im irdischen Leben charakteristisch für den Heiligen.

Diese stärkere Betonung der diesseitigen Verwirklichung eines heiligmäßigen Lebens unterscheidet ihn auch vom antiken *Heros,* dem durch
Entrückung dem irdischen Leben Entnommenen, der Eingang gefunden
hat ins Elysium, das glückliche Land ewigen Tages, und dem nunmehr
im Herōon, dem über seinem Grabe errichteten Heiligtum, Opfer dargebracht und kultische Mahlzeiten gefeiert wurden, und von dem man
Offenbarungen und Hilfe in menschlichen Nöten, besonders bei Krankheiten, erwartete.

Friedrich Heiler hat den Heiligen in folgender Weise definiert [318].

Heilig ist für die höhere Religion der, welcher dem Ewigen dient und das
göttliche Gesetz erfüllt, auch wenn er nicht Priester oder Mönch oder Prophet
oder Mystiker ist.

Diese Formulierung läßt eine religiöse Ausnahmestellung des Heiligen deutlich werden, auf Grund derer er dann im Glauben seiner
Verehrer zum Zwischenwesen und Mittler zwischen der Gottheit und
den Menschen aufsteigt. Dennoch ist es schwierig, eine allgemeine, für
die Welt der Religionen schlechthin gültige Begriffsbestimmung zu
geben, weil sowohl die Forderungen, die an den Heiligen gestellt werden, als auch die Erweise seiner Heiligkeit, dem Charakter der einzelnen Religionen entsprechend, variieren; und auch der theistische Bezug,
der in der Formulierung Heilers enthalten ist, entfällt im Buddhismus.

Die weite Skala, die der Begriff des heiligen Menschen umfaßt, wird deutlich an folgender Gegenüberstellung. Wenn es im Alten Testament heißt [319]:

Ihr sollt heilig sein, denn ich, der Herr, euer Gott, bin heilig,

so richtet sich diese Forderung einer dauernden Qualität im Hinblick auf eine bestimmte religiös und moralisch gebundene Lebensform an ein ganzes Volk [320].

Den denkbar größten Gegensatz hierzu bildet der *arhat*, der Ehrwürdige, Vollendete, das religiöse Ideal des Hīnayāna-Buddhismus [321]. Es ist der Mönch, der schon im irdischen Dasein das Nirvāna erlangt hat und dieses Heilsziel als egoistischen Besitz versteht.

Allerdings tritt im Mahāyāna-Buddhismus an die Stelle des Arhat eine ganz anders qualifizierte Gestalt des Heiligen. Es ist der *bodhisattva*, das „Erlösungswesen", das versucht, seinen eigenen Eintritt ins Nirvāna zu verzögern, um zuvor aus Mitleid mit den Unerlösten möglichst vielen Wesen zum Austritt aus dem leidvollen Geburtenkreislauf zu verhelfen.

Der Islam entfernte sich von seinen ursprünglichen Intentionen, die die Verehrung von Menschen ausschlossen, als er Heilige anerkannte. Mit den christlichen Heiligen ist den islamischen eine kultische Verehrung an ihren Grabstätten gemeinsam. Und auch darin stimmen sie mit jenen überein, daß sie klassifiziert sind nach ihren Zuständigkeiten für die Nöte verschiedener menschlicher Lebensbereiche.

Innerhalb des Christentums wurde die Heiligenverehrung, die von den evangelischen Kirchen abgelehnt wird, am umfassendsten in der katholischen Kirche ausgebildet, von ihr aber auch den strengsten Kriterien unterworfen [322].

Bereits auf der 7. Synode von Nicaea, die im Jahre 787 stattfand, wurde festgelegt, daß eine *adoratio*, eine „Anbetung", allein Gott zukomme, den Heiligen aber die *veneratio*, die „Verehrung".

Nach geltendem katholischen Kirchenrecht geht der Heiligsprechung die *Beatifikation* voraus, die Seligsprechung, die vom Papst auf Grund eines positiv verlaufenen Seligsprechungsprozesses verkündet wird. Sie billigt einem Verstorbenen, der ein tugendhaftes Leben geführt hat und wenigstens zwei Wunder bewirkt haben muß, örtlich begrenzte kirchliche Ehren zu.

Die Aufnahme in den Kanon der Heiligen, die *Kanonisierung* oder Heiligsprechung, setzt die Seligsprechung voraus sowie den Nachweis, daß nach der Seligsprechung weitere Wunder durch den betreffenden Heiligen geschehen sind.

Seit dem 3. Jahrhundert ist die Darstellung der Heiligen im *Heili-*

genbild nachweisbar. Im 4. Jahrhundert wurde von der christlichen Ikonographie aus der antiken Kunst die Abbildung einer Lichtscheibe oder eines Strahlenkranzes um das Haupt des Heiligen übernommen, der sogenannte Heiligenschein, der auch mit Glorie oder Nimbus bezeichnet wird.

Wesentlicher Bestandteil der Heiligenverehrung ist das *Heiligenfest*, die jährlich wiederholte liturgische Begehung des Todes- oder Gedächtnistages des Heiligen.

Um das Leben des Heiligen rankt sich die *Heiligenlegende*, deren Erzählstoffe nicht selten gewandert sind, gelegentlich auch über den eigenen Religionsbereich hinaus. Das bekannteste Beispiel hierfür ist die Legende der christlichen Heiligen Barlaam und Joasaph, die auf Berichten über das Leben Buddhas beruht [323].

HEILIGE SPRACHE UND HEILIGE SCHRIFT

Wie ein Gegenstand, dem Heiligkeitscharakter beigemessen wird, wie der sakrale Raum und die heilige Zeit der profanen Sphäre enthoben sind, so ist es auch auf dem Gebiet der Sprache: die Religion sondert von der gewöhnlichen, im Alltag gebräuchlichen Sprache die heilige, die *Sakralsprache.* Diese Sakralsprache ist in erster Linie und vor allem die *Sprache der Götter und Geister* [324].

Es muß dem Menschen eben das Gefühl gleichsam eingeboren sein, daß die Gottheit eine andere Sprache spricht und versteht, als es die Umgangssprache der Menschen ist. Das haben homerische Dichter auch ausgedrückt, wenn sie die Götterspeise Ambrosia, den Göttertrank Nektar und das Götterblut Ichor nennen. Moly, die Bezeichnung jenes Zauberkrautes, das Hermes dem Odysseus vor seiner Begegnung mit Kirke gibt, ist ein altertümliches Wort, in der Volkssprache vergessen [325].

Die Sprache der Götter ist nicht allein durch andere Wörter und Strukturen gekennzeichnet, durch die auch menschliche Sprachen sich unterscheiden, sondern vor allem durch einen Abstand zu jeder menschlichen Rede, der qualifiziert ist durch die verwandelnde Aussage des göttlichen Wortes. Seine *Macht* zeigt sich am deutlichsten in jenen – in der Religionsgeschichte relativ seltenen – Kosmogonien, die nicht die Transformation eines bereits vorhandenen, chaotischen Urstoffes beinhalten, sondern die *creatio ex nihilo,* die „Schöpfung aus dem Nichts", die durch das göttliche Wort bewirkt wird.

Der weitverbreiteten Vorstellung von der Sprache der Götter verwandt ist diejenige von der idealen *Einsprachigkeit* der Menschheit in ihrer Urzeit. Deshalb wird die Sprachenverwirrung, von der Genesis 11 in der Geschichte vom Turmbau zu Babel berichtet, als „Fluchsituation" [326] verstanden. Und bemerkenswert zumindest ist die bereits vorwissenschaftliche Suche nach dieser Ursprache, als die im Alten Orient zeitweise das Aramäische galt, wie auch die quasi-religiöse Komponente, die bis heute der Propaganda künstlicher Welthilfssprachen anhaftet.

Der Gedanke, daß auch die *Offenbarung* in einer heiligen Sprache ergangen sei, an diese Sprache gebunden bleibe und daher der Übersetzung nicht zugänglich sei, wird am eindeutigsten vom Islam vertreten. Nach muslimischer Ansicht wurde der Koran herabgesandt „in offenkundiger arabischer Zunge" [327]; von diesem Text existiere im Himmel bei Allah ein Prototyp seiner Offenbarungen *(umm al-kitāb)* auf einer „wohlverwahrten Tafel" [328]. —

Heilige Sprache ist nicht nur die Sprache der Götter, sondern auch die *menschliche Sakralsprache,* vornehmlich die des Priesters. Profan gesehen ist sie eine Sondersprache wie die der Jäger, der Soldaten und Seeleute, der Schüler und Studenten [329]. Damit aber ist ihr spezifischer Charakter nur sehr ungenügend erfaßt. Denn von anderen Sondersprachen unterscheidet sie sich wesenhaft dadurch, daß es diejenige Sprache ist, in der der Priester mit der Gottheit redet. Und dies ist sicher vielfach ganz realistisch im Sinne einer philologischen Identität von Götter- und Priestersprache aufgefaßt worden; etwa wenn Diodor von den keltischen Druiden berichtet [330]:

Sie sprachen die Sprache der Götter.

Auf der zugrundeliegenden Überzeugung, daß die Götter in ihrer eigenen Sprache anzureden seien, beruhte auch die kultische Verwendung sehr verschiedener Sprachen im Hethiterreich, im wesentlichen wohl auch die Beibehaltung des Sumerischen im Gottesdienst der Babylonier und Assyrer. Auch der Isiskult bewahrte noch in römischer Zeit liturgische Formeln in altägyptischer Sprache.

Mit der missionarischen Ausbreitung einer Religion erweitert sich oft, aber nicht immer, auch der Verbreitungskreis ihrer Sakralsprache, die dann im gottesdienstlichen Gebrauch die unterschiedlichsten Volkssprachen verdrängt und über ihnen als einheitliche *Kirchensprache* steht. Zu denken ist hierbei in erster Linie an das Kirchenslawische der Orthodoxie und an das Lateinische, das in der römisch-katholischen Kirche die Verwaltungssprache des 4. Jahrhunderts tradiert. Bekanntlich nimmt sein Gebrauch ab seit der Liturgiereform des 2. Vatikanischen Konzils.

Das Problem, ob Verkündigung und Liturgie in der jeweiligen Volks- oder in einer einheitlichen Kirchensprache erfolgen sollen, ist keinesfalls so modern, wie es heute manchen erscheint. Gesehen hat es bereits Mani, der Stifter des Manichäismus. Seine religionsgeographischen Einsichten wurden bereits früher erwähnt; diejenigen in Bedeutung und Wesen einer Religionssprache kommen hinzu, um Mani gewissermaßen als den „Religionswissenschaftler" unter den Religionsstiftern anzusprechen.

Mani selbst hat in ostaramäischer und in persischer Sprache geschrieben; seine Jünger erweiterten den Kreis auf andere iranische Dialekte, auf das Uigurische und Chinesische sowie auf den subachmimischen Dialekt des Koptischen. Das Prinzip, sich in den unterschiedlichsten Verbreitungsgebieten der jeweiligen Volkssprachen zu bedienen, ist deutlich; und es dürfte als typisch anzusprechen sein für eine Religion, die Gnosis, „Erkenntnis und Einsicht", fordert und die rationale Helle und Durchsichtigkeit ihres Systems in den Vordergrund stellt. Andere Motive sind maßgebend für die Fremdartigkeit, ja Unverständlichkeit einer Sakralsprache. Sie wird nicht als Nachteil empfunden, wenn sie verstanden wird als die dem Umgang mit dem Göttlichen gemäße sprachliche Form. Und nicht zu unterschätzen sind emotionale Faktoren, von denen hier nur derjenige des Heimatgefühls hervorgehoben werden soll, das die bekannte, wenn auch vielleicht unverstandene Kultsprache in der Fremde vermittelt. –

Den engen Zusammenhang zwischen Sprache und Religion demonstrieren *Sprachreformen*, die aus religiöser Zielsetzung vollzogen werden. In radikalster Weise tritt dies bei Zarathustra zutage. Die unversöhnliche Kluft zwischen seiner Verkündigung des Guten und der bösen, verwerflichen Welt seiner Gegner gewann damit ihren tiefsten Ausdruck. Das indoiranische Wort für „Gott" lautet im Sanskrit *deva*. Aus Protest gegen die vorgefundenen Götter eines polytheistischen Pantheons verkehrt Zarathustra die Bedeutung der analogen awestischen Form *daēva* in das genaue Gegenteil. Das Wort bekommt bei ihm den Sinn von „böser Geist", und damit werden die Numina der vor-zarathustrischen Zeit dämonisiert [331].

Der Riß, den der Prophet Zarathustra durch den ganzen Kosmos gehen sieht, tritt aber in der Sprache vielleicht noch augenfälliger da zutage, wo auf profanem Gebiet Synonyme zugunsten der religiösen Intention differenziert werden. Für den gleichen Begriff nämlich werden, je nachdem ob er der guten, der ahurischen oder der bösen daēvischen Sphäre zugeordnet wird, völlig verschiedene Wörter gebraucht. Für „Sohn" etwa kennt das Indische zwei Wörter, die im Rigveda synonym verwendet werden: *putra* und *sunu*. Das Awestische Zarathustras aber scheidet die Äquivalente beider Wörter scharf: *puthra* wird gebraucht, wenn es sich um ahurische Wesen handelt, *hunu* aber, wenn von solchen des daēvischen Bereichs die Rede ist [332].

Die Sprachreform Zarathustras ist sicher der beste, aber nicht der einzige Beweis für den engen Zusammenhang von Religion und Sprache. Echnaton, der königliche Reformator Ägyptens, führte den offiziellen Gebrauch des Neuägyptischen ein; und dies ist die einzige seiner Reformen geblieben, die nach der Verfemung des „Ketzers von Amarna" Geltung behielt. Der anti-brahmanische Protest des frühen

Buddhismus ging mit der Ablehnung des Sanskrit als normativer Religionssprache Hand in Hand. Und in unseren Tagen verbindet die dravidische Bewegung Südindiens ihre Ablehnung des Hinduismus mit einer Renaissance der Tamil-Sprache [333]. – Wenn der Inhalt einer Sakralsprache, der Mythen, prophetische Offenbarungen, ethische Gebote, kultische Vorschriften, Rechtssatzungen und historische Berichte enthalten kann, schriftlich festgelegt ist und die Unveränderlichkeit dieses Textes durch Kanonisierung sichergestellt ist, sprechen wir von *heiligen Schriften* [334]; dieser Begriff ist von der Benennung der christlichen Bibel als „Heiliger Schrift" [335] abgeleitet und wurde von der Religionswissenschaft zur Bezeichnung normativer Texte außerchristlicher Religionen übernommen.

Neben der Bibel des Alten und Neuen Testaments sind die wichtigsten heiligen Schriften: der Talmud, der für das orthodoxe Judentum neben das Alte Testament getreten ist, der Koran, die vom Erzengel Gabriel dem Propheten Mohammed übermittelte heilige Schrift des Islam, das Awesta, der Kanon des Parsismus, der in seinen ältesten Teilen auf Zarathustra zurückgeht, der Veda des Brahmanismus und Hinduismus, der Granth, dem die indische Reformsekte der Sikhs göttliche Verehrung zukommen läßt, das Tripitaka des südlichen Buddhismus, die konfuzianischen Bücher Chinas und das Buch Mormon der Mormonen.

Daß heilige Texte schriftlich fixiert worden sind, war nicht selbstverständlich. Zugrunde lag vielmehr eine prinzipielle Entscheidung über die Verwendung der Schrift für religiöse Aussagen. Das wird deutlich an zwei extremen Einstellungen.

Die alten Inder haben, nachdem sie längst für profane Zwecke eine Schrift entwickelt hatten und benutzten, ihre heiligen Texte weiterhin nicht aufgeschrieben und gelesen, sondern auswendig gelernt und rezitiert [336]. Dieser Charakter der mündlichen Überlieferung sakralen Textgutes kommt terminologisch darin zum Ausdruck, daß diejenigen Werke der religiösen Literatur Altindiens, deren geistliche Autorität außer Frage steht, also der Veda und seine Nachfolgeliteratur, mit dem Begriff *shruti* bezeichnet werden, der „das Hören" bedeutet.

Den wohl stärksten Gegensatz zu dieser indischen Abneigung der schriftlichen Fixierung religiöser Texte bildet in früher Zeit die ungeheure Schreibfreudigkeit der alten Ägypter, die gerade auch sakrale Texte betraf und sich seit König Unas, dem letzten Herrscher der 5. Dynastie des Alten Reiches, der erstmals Pyramidentexte niederschreiben ließ, auch frühzeitig der religiösen Totenliteratur bemächtigte.

Zum *Prinzip einer Typologie der Religionen* hat dann der Islam den Schriftbesitz erhoben. Mit der durch den Koran bedingten Hochschätzung schriftlich festgelegter Offenbarungen nämlich war eine in ihrem Kern auf den Propheten Mohammed [337] zurückgehende Einteilung der fremden Religionen verbunden. Die Besitzer von Offenbarungsschriften, die „Leute der Schrift, des Buches" *(ahl al-kitāb)* werden scharf unterschieden von den Bekennern schriftloser Religionen, die als Götzendiener gelten. Den Schriftbesitzern, vornehmlich Juden und Christen, aber auch Parsen, wurde unter islamischer Herrschaft gestattet, ihrem Glauben treu zu bleiben unter der Voraussetzung, daß sie sich der islamischen Staatsordnung unterwarfen und als Toleranztaxe eine Kopfsteuer zahlten.

Die Bedeutung, die heiligen Schriften beigemessen wird, zeigt sich nicht zuletzt dann, wenn sie einer staatlichen Macht mißliebig, ja derart gefährlich erscheinen, daß sie ihre *Vernichtung* befiehlt. Aus der Geschichte der Bücherverbrennungen, deren Erfolg zumindest in den meisten Fällen nur ganz ephemer war, ragen einige besonders markante Ereignisse hervor, bei denen die religiöse Motivierung eindeutig erkennbar ist.

Zwischen der Entstehungszeit der konfuzianischen Bücher und den späteren Jahrhunderten, in denen sie den Staat und die Kultur Chinas prägten, steht jener Bruch, der in die Geschichte als die große Bücherverbrennung eingegangen ist. Durch den Bericht des nur ungefähr hundert Jahre nach jenem Ereignis lebenden chinesischen Historikers Sse-ma-Ts'ien sind wir verhältnismäßig zuverlässig über die damaligen Geschehnisse orientiert [338]. Es war die Berufung der Konfuzianer auf die normativen Gebräuche des Altertums, die Kaiser Shi Huang-Ti (221–209 v. Chr.), der Beseitiger des chinesischen Feudalsystems und Begründer des absoluten Kaisertums eines chinesischen Einheitsstaates, als Gefahr für seine umwälzenden Neuerungen ansehen mußte. Unter Mithilfe seines Ministers Li Ssu ließ er im Jahre 213 v. Chr. die ihm mißliebigen Bücher verbrennen und den ferneren Besitz der proskribierten Texte unter strenge Strafen stellen. Aus der Tatsache, daß von der Verbrennung gewisse, genau bezeichnete Schriften ausgenommen wurden, ergibt sich, daß es sich nicht um eine generelle Verbrennung aller Literatur handelte. Gegen welche Bücher sich aber die Verordnung richtete, ist aus der Begründung, die Li Ssu bei seinem Vorschlag auf einem eigens hierfür einberufenen Reichstag ausführlich gab, mit Sicherheit zu folgern: der Schlag sollte die Konfuzianer treffen. Eine historisch entscheidende Wirkung war dem Verdikt nicht beschieden.

Religiöse Beweggründe dürften auch die Bücherverbrennung des aztekischen Königs Itzcoatl (1428–1440) veranlaßt haben. Dies lassen indianische Überlieferungen erkennen, in denen berichtet wird [339]: Die Schriften wurden verbrannt zur Zeit, als Itzcoatl König von Mexiko war. Eine Beratung fand statt der mexikanischen Fürsten. Sie sprachen: Es ist nicht nötig, daß alles Volk kenne die schwarze und die rote Farbe der Schrift, die Untertanen, die Hörigen. Herabwürdigung wird die Folge sein, und das Land in einen Zustand der Verstellung gebracht werden. Viele Lügen sind darin enthalten, und viele *zu Unrecht als Götter angebetet* worden.

Aus der Kirchengeschichte des Euseb [340] wissen wir, daß der römische Kaiser Diokletian (284–305) und seine Berater in der Bibel eine der entscheidenden Stützen des Christentums erkannten. Der Kaiser verlangte die Auslieferung aller Exemplare, um sie verbrennen zu lassen. Gebäude, in denen Bibeln versteckt gehalten wurden, ließ er zerstören. Aber die Anzahl der Bibeln war zu groß, und die historische Wirkung dieser Aktion blieb bedeutungslos.

DER KULT

Die Pflege der Götter sei ihm zur Pflicht,
Für immer soll er mit Opfern sie ehren [341].

Diese auf den Menschen bezogenen Worte, die Marduk, der Stadtgott von Babylon, an den Gott Ea richtet, sind Ausdruck einer religiösen Anthropologie, nach der es die Bestimmung des Menschen ist, den Göttern durch kultische Handlungen zu dienen. Zugleich kann das Zitat als Hinweis verstanden werden auf den uralten und konservativen Charakter des Kultes [342].

Der Begriff *cultus*, von dem Verb *colere*, „sorgfältig pflegen", abzuleiten, bezeichnet festgesetzte und geordnete Formen des Umgangs mit dem Göttlichen, die einerseits der Verehrung der Gottheit dienen, andererseits der Förderung und Heiligung des menschlichen Lebens, der Erfahrung von Segen und Gnade sowie der Abwehr schadenbringender Mächte.

Träger des Kults ist eine menschliche Gemeinschaft, die durch gleiches Bekenntnis verbunden ist. In ihrem Auftrag vollzieht der Priester als kultischer Vertreter die rituellen Akte, die im allgemeinen an heilige Orte gebunden sind und die Beachtung bestimmter Zeiten erfordern, an denen entweder ein Naturgeschehen oder ein Ereignis der Heilsgeschichte gefeiert wird. Auch einschneidende Übergänge des menschlichen Lebens, besonders Geburt, Eheschließung und Tod, sind mit kultischen Handlungen verbunden. –

Die Sonderexistenz, die der Kult gegenüber dem profanen Leben einnimmt, bedingt seine *Exklusivität*. Daher ist der Eintritt in die kultische Sphäre von der Erfüllung bestimmter Zulassungsbedingungen abhängig. Das bedeutet nicht allein den Ausschluß des Verbrechers von der Teilnahme am Kult. Unabhängig von ethischen Qualifikationen findet sich auf kultischem Gebiet nicht selten eine *Geschlechtsdifferenzierung*. Sie kann Beschränkung, teilweisen oder gänzlichen Ausschluß eines Geschlechtes bedeuten.

Der Satz des Apostels Paulus [343]:

Mulieres in Ecclesiis taceant – Frauen sollen in den Kirchen schweigen

ist typisch für eine Beschränkung des weiblichen Geschlechts. Sie findet sich häufig in der Religionsgeschichte. Unter schriftlosen Völkern sind nicht selten Kulthandlungen, Initiationsriten, vor allem aber die Feiern von Geheimbünden den Männern vorbehalten.

Die *religio castrensis,* die Religion der Heerlager und Soldaten, ist eine bekannte Erscheinung. Ihr klassisches Beispiel bietet der Mithraskult. Die Verehrung des in Persien beheimateten Gottes Mithras fand seit dem ersten nachchristlichen Jahrhundert im Römischen Reich Verbreitung. Der Kult dieses Gottes, von dem Frauen ausgeschlossen waren, zog die Soldaten in seinen Bann, deren Lebensweise sich der straffen Organisation dieses Kultes verwandt fühlte [344].

Aber kultische Exklusivität bezog sich nicht allein auf die Männer. Der Gott Dionysos ist dafür bekannt, daß in seinem Dienste wohl ausschließlich Frauen standen. Seine Verehrerinnen, die Mänaden oder Bacchantinnen, suchten, wenn sie nachts die Wälder durchstreiften, die Vereinigung mit dem Gott, die sie in enthusiastischer Entpersönlichung und beim Verzehr eines von ihnen zerrissenen Stieres oder Bockes erlebten.

Vom Kult ausgeschlossen blieben die Männer auch bei den Thesmophorien, einem nur von Frauen gefeierten griechischen Herbstfest zu Ehren der „gesetzgebenden" *(thesmophóros)* Göttin Demeter als der Lehrerin des Ackerbaus und der Begründerin von Ehe und bürgerlicher Ordnung.

Die Bona Dea, die „gute Göttin", eine römische Segens- und Heilgöttin, die oft als Gemahlin des Faunus angesehen wurde, besaß einen Tempel am Aventin. Es war Männern verboten, an ihren jährlich im Dezember gefeierten nächtlichen Festen teilzunehmen. –

Auch diejenigen, die zum Kult zugelassen werden, unterliegen im allgemeinen den Bedingungen einer *Vorbereitung.* Hierzu können eliminatorische Reinigungsriten gehören, die mit machthaltigen Stoffen wie Wasser, Feuer oder Blut vollzogen werden und der Beseitigung gefahrvoller Kräfte dienen. Ferner sind oft nächtliche Vigilien vorgeschrieben, asketische Übungen und die Einhaltung von Fastenzeiten.

Die kultischen Akte selbst sind formal konstituiert durch Worte und Handlungen, durch *legómena* und *drómena,* wie die griechischen Termini lauten. Heilige Gegenstände und Götterbilder dienen als kultische Symbole.

Der Genuß der Opferspeise, die Berührung des Gottesbildes, Handauflegung und Salbung haben Kommunionscharakter; sie vermitteln die Einigung mit der Gottheit. Die liturgische Lesung, Psalmen und Gebete sowie die Segensworte des Priesters begleiten den Vollzug der rituellen Akte. Oft sind Prozessionen, Musik und Tänze Bestandteil des Kults.

Im Mittelpunkt des Kultes steht das *Opfer* [345]. Ihm können sehr unterschiedliche Intentionen zugrunde liegen. Das Bittopfer erstrebt die Gewährung menschlicher Wünsche durch die Gottheit. Für empfangene Segnungen mit Nachkommen, reichen Viehbesitz und gute Ernten werden Dank-, Geschenk- und Huldigungsopfer dargebracht. Götterbilder, Altäre und Grenzsteine werden durch Weihopfer geheiligt. Schuld- und Sühneopfer sollen den Zorn der Gottheit beschwichtigen. Divinationsopfer, die mit einer Opferschau verbunden sind, haben mantische Motive; sie sollen den Willen der Gottheit erforschen.

Nicht in jedem Fall wird das Opfer einer persönlichen Gottheit gespendet. Im magischen Bereich spricht man ihm eine Kraft der Verwirklichung zu, die automatisch wirkt [346]. Dies gilt oft für das Jagdopfer, aber auch für Opfer, die die Lebenskraft der Gestirne, besonders der Sonne, erhalten sollen, sowie für Opfer, die dem Bestand der Welt dienen.

Wie die Intentionen, so sind auch die Formen des Opfers sehr verschieden. Alt ist sicher das Blutopfer, das durch Blutabzapfungen lebender Menschen, aber auch durch das Menschenopfer dargebracht wurde. Sonderformen des Menschenopfers sind das Kinder-, Jungfrauen- und Kriegsgefangenenopfer. Die römische Religion kannte das Selbstopfer *(devotio)*. Mit der indischen Witwenverbrennung hat sich sehr lange Zeit hindurch das Totenbegleitopfer erhalten. Ein Häuptlingsopfer wurde vielfach vollzogen, wenn die Kraft des Herrschers erlahmte.

Im Verlauf einer Verinnerlichung des Opfergedankens wird das Menschenopfer durch Ersatzopfer und durch Pars-pro-toto- oder Teilopfer abgelöst. Als Ersatzopfer dient zunächst und vornehmlich das Schlachtopfer von Tieren, aber auch jede andere dem Menschen wertvolle Gabe, besonders der erste Ertrag der Ernte, der als Primitialopfer dargebracht wird. Pars-pro-toto-Opfer sind besonders Haar- und Fingeropfer. Das Keuschheitsopfer äußert sich in den unterschiedlichen Formen der Askese, der Kastration und der sakralen Prostitution. Rauch- und Trankopfer sind häufig begleitende Opferhandlungen.

In der *Haltung der Religionen zum Opfer* können extreme Pole aufgezeigt werden: Buddhismus und Jinismus sind gänzlich ablehnend, während die aztekische Religion des alten Mexiko dem Blut- und Menschenopfer am stärksten zugeneigt war.

Die Religion des Alten Testaments kannte ursprünglich sowohl unblutige als auch blutige Opfer, die jedoch, wie die Geschichte von der Opferung Isaaks zeigt [347], früh eine Humanisierung erfuhren [348]. Die Propheten bekämpften den Opferkult und forderten statt dessen Buß-

gesinnung und Gehorsam [349]. Im talmudischen Judentum gilt auch das
Schriftstudium als Opfer.
Für das Christentum ist der Tod Christi das einmalige und endgül-
tige Opfer zur Tilgung der Sünden [350]. Dieses Kreuzesopfer findet
seine kultische Vergegenwärtigung im eucharistischen Herrenmahl. –
Zu den bemerkenswertesten Charakteristika des Kultes gehört die
beharrende Macht seiner Formen [351]. Carl Heinz Ratschow schrieb [352]:

Das Kultobjekt, und dazu gehört die Kultstätte, überdauert vielfach die
schwerwiegendsten Wandlungen des religiösen Geistes. Die Heiligkeit beharrt
am Objekt, wenn sich ihr Charakter im Bewußtsein der Versammelten auch
längst verschob.

Ein bemerkenswertes Beispiel hierfür bildet das Frühlingsfest der
Insel Malta, das zuerst im Dienste des Vegetationsgottes Adonis stand.
Als die Johanniter nach ihrer Vertreibung aus Rhodos 1526 nach
Malta übersiedelten, ließen sie das Fest weiterhin bestehen, unterstell-
ten es aber dem Schutze Johannes' des Täufers. Später ging das Fest
auf den hl. Gregorius über und wurde an dessen Namenstag, dem
12. März, gefeiert [353].
Die zähe Beharrungskraft kultischer Formen beweist auch ihr Über-
leben im *Spiel* [354], das ebenso außerhalb des alltäglichen Daseins steht
wie der Kult und gleich diesem eigenen, streng zu beachtenden Geset-
zen folgt. Nimmt man den hohen Rang und die prägende Kraft, die
Huizinga dem Spiel für den *Ursprung der Kultur* beimessen konnte [355],
so sind letztlich nicht nur bildende Kunst, Musik, Tanz, ja das Drama
aus dem Kult abzuleiten [356], sondern die Anfänge jeder Kultur schlechthin. In diesem Sinne schrieb August Winnig [357]:

Alle Kultur stammt aus dem Kultus, Gottesverehrung und Gottesdienst sind
die Grundlagen unserer Gesittung.

DAS GESCHICHTSBILD

Der Philosoph Hans Leisegang hat in seinem heute zu Unrecht fast völlig in Vergessenheit geratenen Werk ›Denkformen‹ u. a. auch eine Phänomenologie der durchweg religiös bedingten Geschichtsvorstellungen gegeben, bei der er im wesentlichen zwischen einer *kreisförmigen Entwicklung* und einem *geradlinigen Fortschritt* unterschied [358]. So wesentlich auch diese beiden unterschiedlichen Geschichtsbilder sind und so beherrschend sie hervortreten, sie bedürfen sicherlich doch der Ergänzung und Modifikation.

Geht man aus von einem Geschichtsverständnis schriftloser Religionen, aber auch archaischer Kulturen, in denen ein universistisches Weltbild vorherrschend ist, so gilt hierfür sicher die Feststellung von Carl Heinz Ratschow [359]:

Der vor- und außergeschichtliche Mensch kennt keine Zeit. Er kennt aber das vielfältige Wesen von Sonnen, Monden und Sternen, wie sie kreisen im Laufe der Gezeiten. Und mit diesem Kreisen kreist sein wahres Leben, vollzieht sich der Ritus in Bewahrung und Darstellung der Einheit der Welt. Die Gezeiten sind die Erfassung der für das Leben entscheidenden astralen Vorgänge, und diese Gezeiten sind die Rhythmen des wahren Lebens, das wie sie pulsiert, das sich selbst in ihnen und aus ihnen versteht. Vor diesen Gezeiten gab es keinen Anfang und nach diesen Gezeiten kein Ende.

Eine Erschütterung dieses im Prinzip *statischen Geschichtsdenkens* kann auf zweierlei Weise erfolgen. Sie kann einmal ausgelöst werden durch den Zweifel an der fortdauernden Gesetzmäßigkeit der natürlichen Rhythmen. Es ist dies jener Zweifel, dem die nach der Katastrophe der Sintflut ergangene Verheißung widerspricht [360]:

> Solange die Erde steht,
> sollen nimmermehr aufhören
> Saat und Ernte, Frost und Hitze,
> Sommer und Winter, Tag und Nacht.

In der Religionsgeschichte lassen sich zwei unterschiedliche *Typen dieses Zweifels* aufweisen. Für einen plötzlichen, unvorhergesehenen Einbruch des Weltendes sind die Tupí-Guaraní charakteristisch, indianische Stämme Südamerikas, die in den Jahren 1539 bis 1912 zu wiederholten Malen weite, mühevolle Züge zur Küste des Atlantik unternahmen, um vor einem von ihren Medizinmännern angekündigten drohenden Untergang der Welt das „Land ohne Übel" zu erreichen, den Wohnort ihres Hochgottes Nanderuvuçu [361].

Gegenüber dem plötzlichen Erschrecken eines spontan verkündeten Untergangs steht die Annahme einer gewissen Gesetzmäßigkeit seines Eintritts. Das Geschichtsbild der Azteken ist typisch hierfür. Es rechnete mit fünf Geschichtsperioden, von denen vier in Katastrophen untergegangen waren und auch die jetzige, fünfte ein ähnliches Ende zu erwarten habe.

Das im Prinzip statische Geschichtsdenken wird jedoch nicht nur durch die Erwartung einer Katastrophe in Frage gestellt; vielmehr kann dies auch geschehen durch das *Erwachen des historischen Bewußtseins*. Im Alten Reich Ägyptens herrschte der Glaube an eine Unveränderlichkeit der gegegebenen Zustände, und diese Negation des tatsächlichen Wandels hatte zähen Bestand. Typisch hierfür war der Wille zur Aufrechterhaltung der Idee vom sakralen Herrschertum, wie ihn das Mittlere Reich zeigt [362]. Die Problematik dieses Repristinationsversuches ergab sich aus dem der Aufstiegszeit des Mittleren Reiches vorangegangenen Untergang des Alten Reiches und der mit diesem verbundenen Erschütterungen sowohl der sakralen Herrscheridee als auch der Stetigkeit bestehender Ordnungen.

Die wirkliche Einsicht in den Wandel, seine existentielle Annahme, erfolgte spät. Die Zeugnisse hierüber lassen die tragische Erkenntnis der Irrealität einer statischen Schau und des unentrinnbaren Zwanges zur Geschichtlichkeit menschlichen Daseins anklingen. In den ›Klagen des Chacheperrēseneb‹, die der späteren 12. Dynastie entstammen, heißt es [363]:

Ich denke nach über das, was geschieht, über die Dinge, die das Land durchziehen –: Verwandlung tritt ein; es ist nicht mehr wie im vorigen Jahre.

Für einen Wandel, der sich *kreisförmig,* in stets neuer Wiederholung vollzieht, ist das indische Geschichtsdenken typisch. Es rechnet mit vier Weltzeitaltern, die mit absteigender Skala 4800, 3600, 2400 und 1200 Jahre andauern. Wie ihre zeitliche Länge, so sinkt auch ihre moralische Beschaffenheit. Am Ende aber steht nicht das Eschaton, der Untergang dieser Welt. Vielmehr wiederholt sich das gleiche Geschehen, und dies ereignet sich in unendlicher Folge.

Der Abstieg der Welt kann auch Inhalt eines geradlinigen, irreversiblen Geschichtsbildes sein, und diese Vorstellung vom *mundus senescens* [364] ist, recht betrachtet, die eigentlich „natürliche"; denn wie der Mensch selbst altert und die ihn umgebende Natur, Tiere und Pflanzen, absterben, so wird es auch mit der Gesamtheit alles Lebens im Fortgang des geschichtlichen Prozesses geschehen.

Die *disciplina Etrusca,* die vom Religiösen her das gesamte Leben der Etrusker ordnete, vertrat diese pessimistische Zeitvorstellung [365]. Ihr Geschichtsverständnis rechnete mit einem determinierten Abstieg, der sich periodisch innerhalb von zehn Saecula vollziehen sollte. Die Dauer eines Saeculums sollte der höchsten Lebenserwartung eines Menschen entsprechen. Da damit aber keine bestimmte, auf Dauer gültige Zahl gegeben war, würden die Götter durch Zeichen das Ende eines Saeculums bekanntmachen. Als solche Zeichen sind das Erscheinen eines Kometen, eine große Seuche sowie die Wahrnehmung eines scharfen, klagenden Trompetentons überliefert.

Der Geschichtspessimismus der Lehre, die für den Abschluß des zehnten Saeculums „das Ende des etruskischen Namens" voraussah, bewirkte, daß die Etrusker ihre politische Entmachtung durch Rom hinnahmen und im 2. Punischen Krieg die Gelegenheit zum Aufstand mit Karthago versäumten, als Hannibal durch die etruskischen Kernlande zog und 217 v. Chr. die Römer am Trasimenischen See schlug.

Die *Periodisierung der Geschichte* mit sukzessiv absteigender Tendenz findet sich bereits bei Hesiod; ihm sind Ovid und Vergil im wesentlichen gefolgt. Anders ist es beim Propheten Daniel. Seine Schau der verschiedenen Weltreiche mündet in die Sicht eines Königreiches, das Gott vom Himmel her aufrichten wird [366]. Wie immer man diese Stelle im einzelnen deuten mag; der positive Aspekt eines teleologischen Geschichtsbildes ist jedenfalls deutlich.

Er tritt voll in Erscheinung in der *Eschatologie* des Parsismus, des späteren Judentums, des Christentums und des Islam, für deren geradlinige, irreversible Geschichtsbilder durchweg das gilt, was Karl Heussi für die christliche Geschichtsschau Augustins feststellte [367]:

... die Teleologie wurzelt und endet in der Transzendenz.

Die Periodisierung dieser Schau mußte im Hinblick auf das Eschaton erfolgen und konnte daher keinen determinierten Abstieg beinhalten. Unterschiedlich war jedoch die Zahl der Perioden, die in der christlichen Geschichtstheologie der Spätantike und des Mittelalters Bedeutung gewann [368]. Augustin, Beda Venerabilis und Isidor von Sevilla vertraten das Schema der Weltenwoche mit sechs Welttagen, die den sechs Schöpfungstagen entsprechen, auf die der Sabbat Gottes folgt, die Ewigkeit als siebtes Zeitalter.

Nachhaltigere Wirkung war der Geschichtstheologie des kalabrensischen Abtes Joachim von Fiore beschieden, deren Dreierschema mit

der Abfolge eines Zeitalters des Vaters, des Sohnes und des Heiligen
Geistes rechnet [369]. Dieses Schema nämlich hat, losgelöst von seinen
Inhalten, die Geistesgeschichte nachhaltig beeinflußt [370]. Außer Betracht
bleiben müssen hier selbstverständlich nicht nur der eine, sondern die
verschiedenen politischen Begriffe, bei denen die Dreizahl eine rational
schwer faßbare propagandistische Wirkung ausübte und ausübt. Zu
verweisen ist aber auf die Idee der synthetischen Dynamik und auf
einen Fortschrittsgedanken, der auf religionsgeschichtlichem Gebiet in
der Idee einer *fortschreitenden Offenbarung* Ausdruck findet. Im europäischen Bereich ist es Ibsen gewesen, der in seinem ›Kaiser und Gali-
läer‹ den Gedanken eines dritten Reiches, in dem Weltabgeschiedenheit
und Weltoffenheit harmonisch verbunden sind, am eindringlichsten
ausgesprochen hat.

TYPOLOGIE DER RELIGIONEN

Eine Typologie der Religionen, d. h. die Erfassung ihrer jeweils typischen Züge, ihrer dominierenden Eigenarten, die dann weiterhin das Prinzip einer Einteilung und Gruppierung aller Religionen bilden sollen, ist gewissermaßen die abschließende Aufgabe einer Religionsphänomenologie. Und es ist, was sogleich hinzugefügt werden kann, einerseits eine im hohen Grade aktuelle, andererseits eine noch unabgeschlossene, bislang nicht in einhellig anerkannter Weise gelöste Aufgabe.

Der Dienst, den die Religionsphänomenologie hiermit zu leisten hat, bezieht sich nur in geringem Maße auf die Aufgaben der *Religionsgeschichte*. Gewiß wäre es wünschenswert, religionsgeschichtliche Handbücher nach typologischen Gesichtspunkten anzuordnen. Aber man kann religionsgeschichtliche Informationen auch ohne dieses Einteilungsprinzip vermitteln und dabei, wenn man den Anschein einer vorgefaßten Wertung vermeiden will, eine unparteiische Aufgliederung wählen, sei es die neutralste in lexikalischer, alphabetischer Reihenfolge, ferner diejenige unter geographischen Gesichtspunkten oder unter historischen, wobei letzterer die Zweiteilung in *ausgestorbene und lebende Religionen* zugrunde liegen müßte.

Wesentlicher ist in der aktuellen Situation, die durch die Erfahrung des religiösen Pluralismus gekennzeichnet wird, die Hilfe, die eine Typologie der Religionen für eine *geistige Orientierung* bietet, der allein schon das rein praktische Motiv einer Verständigungsmöglichkeit in fremdreligiösen Bereichen zugrunde liegen kann.

Von vordringlicher Bedeutung ist eine Aufgabe, bei der die Religionsphänomenologie die Dienste einer Hilfswissenschaft leistet: sie kann die von ihr erarbeiteten typologischen Schemata der Theologie zur Verfügung stellen für deren Arbeit an einer *Religionstheologie*, einer Arbeit, die, ob sie bisherige Typologien übernimmt oder verwirft, doch ohne deren Kenntnisnahme nicht zu leisten ist.

Das Programm einer Religionstheologie bedeutet die Hineinnahme des Gegenübers der christlichen Botschaft in die Arbeit der Theologie. Offiziell hat seitens der römisch-katholischen Kirche das Zweite Vatikanische Konzil diesen Erfordernissen zu entsprechen versucht. Es hat eine Öffnung auf die nichtchristlichen Religionen hin vollzogen, von denen einige und unter diesen in hervorragender Weise der Islam in der ›Deklaration über das Verhalten zu den nichtchristlichen Religionen‹ mit beschreibenden Feststellungen positiv charakterisiert sind und deren Gemeinsamkeiten mit dem Christentum besonders herausgestellt werden. In dogmatischer Hinsicht werden die Fremdreligionen unter die „vielfältigen Elemente der Heiligung und Wahrheit" gerechnet. Dem Ringen um Verständnis und Wertung der nichtchristlichen Religionen, das sich ebenso der evangelischen Theologie als zeitgemäße Aufgabe stellt, sind damit zweifellos starke Impulse gegeben worden [371]. Sie sind nicht in Einklang zu bringen mit einer Behandlung der Thematik der *Absolutheit des Christentums*, bekanntlich einem von Hegel im 3. Teil seiner ›Vorlesungen über die Philosophie der Religion‹ geprägten Begriff, im Sinne einer exklusiven Gegenüberstellung des Christentums zu den Fremdreligionen, die dann in ihrer Gesamtheit als „verdammliches Heidentum" eingestuft werden, um hierbei eine Formulierung von Bartholomäus Ziegenbalg aufzugreifen [372].

Seitens der Religionswissenschaft ist diese Haltung in neuerer Zeit denn auch ausschließlich von Johannes Witte vertreten worden, der seine Wendung von einer liberalen Haltung zur dialektischen Theologie mit dem folgenden Urteil über die nichtchristlichen Religionen kundtun wollte [373]:

Ihre Religionen in Frömmigkeit und Sittlichkeit sind völlig verkehrte Versuche, aus Blindheit phantasiert, die Wahrheit über Gott zu sagen und zu Gott zu gelangen, sie sind Abfall von Gott, Verleugnung Gottes, Auflehnung gegen Gott und Ungehorsam gegen Gott, sie sind Irrtum und Irrung, Schuld und Verlorenheit.

Sehr viel anders zu werten ist der Entwurf von Heinrich Frick, der Christentum und Fremdreligionen gemeinsam dem Evangelium gegenüberstellte. Für ihn „wächst sich die Kritik aller Religion zu dem eschatologischen Gericht über das Christentum aus. Gerade von den Fremdreligionen her vernehmen wir, wie groß die Spannung ist, in der unser Christentum zum Evangelium steht" [374].

Dem hier vorliegenden Versuch, Christentum und Fremdreligionen typologisch als in sich geschlossene Größen zu behandeln, stehen andere Entwürfe gegenüber, die ein bestimmtes Phänomen zum Prinzip der Unterscheidung wählen und sich damit der kritischen Frage stellen, ob dieses Phänomen ausreicht, die Gesamtheit einer Religion typologisch zu erfassen.

Dies gilt in erster Linie für den *Gottesglauben*. Im abendländischen Mittelalter waren neben der christlichen Kirche nur Judentum und Islam von wirklicher Bedeutung, und andere Religionen lagen außerhalb des europäischen Gesichtskreises. Diese religionsgeographische Situation bestimmte das religionsgeschichtliche Denken weit über das Mittelalter hinaus und trug dazu bei, daß der Gottesglaube frühzeitig das Prinzip einer Klassifikation der Religionen bildete. Gemeint ist damit die Unterscheidung zwischen den monotheistischen Religionen – Christentum, Judentum und Islam – einerseits, andererseits den polytheistischen Religionen und, wie wir heute hinzufügen müssen, drittens dem Buddhismus als der zumindest ihrem Ursprung nach atheistischen Religion – wobei die Problematik einer „atheistischen Religion" und die Frage, ob der Urbuddhismus als Religion anzusprechen sei, in dieser typologischen Übersicht ausgeklammert bleiben sollen.

Die Frage, ob ein einziger Gesichtspunkt nicht allein ausreiche, sondern ob er darüber hinaus zwingend in den Mittelpunkt gestellt werden müsse, diese Frage erhebt sich auch bei dem Entwurf Albert Schweitzers [375], der die *Ethik* zum Prinzip einer Typologie wählte. Ethische Impulse dienten Schweitzer zu einer wertmäßigen Aufgliederung der Religionen, die neben das Christentum den chinesischen Konfuzianismus in den Vordergrund stellte, der das selbstlose Dienen in Familie und Staat verlangt, während der frühe Hinduismus und vor allem der Buddhismus zurückstehen, weil deren Ethik vom Ziel einer egoistischen Selbsterlösung im Sinne eines Freiwerdens von dieser Welt bestimmt ist.

Eine umfassende Charakterisierung der Gesamtheit einer Religion in ihren vielfältigen Erscheinungsformen scheint ein Ordnungsprinzip zu bieten, das zwischen *prophetischen und mystischen Religionen* unterscheidet. Sein Nachteil besteht darin, daß die Mystik eine interreligiöse Größe ist, die auch in der Geschichte einer prophetischen Religion auftreten und Bedeutung gewinnen kann. Legitim anwendbar ist daher dieses Prinzip nur dann, wenn es auf die ursprünglichen Intentionen einer Religion begrenzt wird.

Auf die Ursprünge verweist auch eine Typologie, die zwischen *gestifteten Religionen* unterscheidet und solchen, die als *stifterlos* bezeichnet werden, als gewachsen oder aus kollektiven Mächten hervorgegangen. Diese Aufgliederung ist deshalb problematisch, weil den gestifteten Religionen tatsächlich solche gegenüberstehen, deren geschichtliche Ursprünge unerreichbar sind und für die daher kein Stifter historisch nachweisbar in Erscheinung tritt. Daß aber diese Religionen, wie etwa die griechische, in geschichtlich erreichbaren Zeiten der großen Religiösen ermangelten, wird niemand behaupten wollen, und es ist daher zumindest nicht abwegig, die prägende Macht großer Persönlichkeiten für die Zeiten vorauszusetzen, die uns unbekannt geblieben sind.

Gelegentlich hat man die voranstehende Aufgliederung in Zusammenhang gesehen mit einer Unterscheidung zwischen *Natur- und Geschichtsreligionen* [376], bei denen sich der Mensch im ersten Fall in den Kosmos eingegliedert weiß, im zweiten zur geschichtlichen Entscheidung, zur Verantwortung und zum Gehorsam aufgerufen ist [377]. Eine Variation dieses Themas bietet die Unterscheidung zwischen *Primitiv- und Kulturreligionen*. Ihre Gefahr besteht darin, daß sie Wertungen impliziert, die nicht genuin religiösen Bereichen entstammen, sondern an dem Grad zivilisatorischer Vervollkommnung gemessen sind.

Problematisch erscheint auch die Aufgliederung nach *Volks- und Weltreligionen* [377a] nicht allein deshalb, weil hier soziale und geographische Begriffe vermengt werden können, sondern auch auf Grund der Vielschichtigkeit beider Begriffe. Mit „Volksreligion" werden ja tatsächlich selten Bekenntnis und Kult einer ethnischen Einheit erfaßt, viel eher die Begrenzung einer Religion auf ein räumliches Gebiet oder auf ein politisches Gebilde. Außerdem kann mit „Volksreligion" auch die „Religion der Tiefe" innerhalb eines religionsinternen Pluralismus gemeint sein.

Auch der Begriff der „Weltreligion" wird nicht einheitlich angewendet. Er kann zur Kennzeichnung der geistigen und ethischen Qualitäten einer Hochreligion dienen. Er kann aber auch bezogen werden auf die geographische Weite ihres Verbreitungsgebietes und die Zahl ihrer Bekenner.

Als eine teilweise unter neuen Gesichtspunkten vorgetragene Synthese verschiedener Aufgliederungsprinzipien kann die Typologie von Arnold Toynbee verstanden werden [378]. Er unterschied die *Verehrung von Menschen durch Menschen*, die in Volks- oder Stammesreligionen die eigene Gemeinschaft, in großen Weltreichen den Herrscher betreffe, von höheren Religionen, die eine Ersetzung des Machtdenkens durch die *Ideale der Liebe und des Leidens* vornehmen. Innerhalb dieser höheren Religionen trennt er eine indische Gruppe, für die ein kyklisches Weltbild charakteristisch ist, von einer jüdischen mit einer eschatologischen Geschichtsschau; zur zweiten Gruppe rechnet er Judentum, Christentum, Islam und den auf die Prophetie Zarathustras zurückgehenden Parsismus. –

Die vorstehende Übersicht, deren einzelne Entwürfe noch zahlreiche Variationen aufweisen, dürfte darlegen, daß die Typologie der Religionen bis heute eine bleibende Aufgabe darstellt.

ANMERKUNGEN

1 E. Schultze (Hrsg.), Die Eroberung von Mexiko. Drei eigenhändige Berichte von Ferdinand Cortez an Kaiser Karl V. Hamburg 1907, S. 172; vgl. G. Lanczkowski, Die Begegnung des Christentums mit der aztekischen Religion. In: Numen 5 (1958) 69.

2 Vgl. G. Lanczkowski, Geschichte der Religionen. Frankfurt a. M. 1972, S. 245.

3 Tacitus, Germania, cap. 9.

4 Åke V. Ström, Germanische Religion. In: Ström-Biezais, Germanische und baltische Religion. Stuttgart 1975, S. 83 ff.

5 Jan de Vries, Altgermanische Religionsgeschichte, Bd. 1. 3. Aufl. Berlin 1970, S. 471.

6 Caesar, De Bello Gallico VI, 17.

7 Lukian, Herakles, cap. 1.

8 Minucius Felix 22, 2.

9 Marcel Simon, Jupiter-Yahvé. Sur un essai de théologie pagano-juive. In: Numen 23 (1976) 40–66.

10 Martin P. Nilsson, Geschichte der griechischen Religion. Bd. 2. München 1950, S. 555 f.

11 F. Otto Schrader, Der Hinduismus (Religionsgeschichtliches Lesebuch. 2. Aufl., hrsg. von Alfred Bertholet, Heft 14). Tübingen 1930, S. 82; Solange Lemaître, Ramakrischna. Reinbek bei Hamburg 1963, S. 90 ff.

12 Lukian, Deorum concilium 10 f.

13 Migne, Patrologia Latina 37, 1231.

14 Helge Ljungberg, Die nordische Religion und das Christentum. Gütersloh 1940, S. 29.

15 Marcel Simon, Hercule et le Christianisme. Paris 1955; ders., Christianisme antique et pensée païenne: rencontres et conflits. In: Revue de l'université de Bruxelles. Octobre 1967–janvier 1968, S. 19 f.; vgl. Friedrich Pfister, Herakles und Christus. In: Archiv für Religionswissenschaft 34 (1937) 42 ff.

16 Migne, Patrologia Latina 95, 70.

17 Friedrich Pfister, Die Religionen der Griechen und Römer. Leipzig 1930, S. 19.

18 Friedrich Heiler, Erscheinungsformen und Wesen der Religion. Stuttgart 1961, S. 431.

19 Johann Bapt. Aufhauser, Umweltbeeinflussung der christlichen Mission. München 1932, S. 55; Jacob Grimm, Deutsche Mythologie. Wien–Leipzig o. J., S. 502.

20 Enno Littmann, Abessinien. Hamburg 1935, S. 39.

21 Hermann Kees, Der Götterglaube im alten Ägypten. 2. Aufl. Berlin 1956, S. 86.

22 Emanuel Sarkisyanz, Rußland und der Messianismus des Orients. Tübingen 1955, S. 364, 359; ders. in: Rolf Italiaander (Hrsg.), Die Gefährdung der Religionen. Kassel 1966, S. 95.

23 So von: Joseph Dahlmann, Buddha. Ein Culturbild des Ostens. Berlin 1898.

24 Text und Übersetzung: Walter Lehmann, Sterbende Götter und christliche Heilsbotschaft, hrsg. von Gerdt Kutscher. Stuttgart 1949. – Wissenschaftliche Bearbeitung: Hans Wißmann, Die « Colloquios » des Padre Fray Bernardino de Sahagún als religionsgeschichtliche Quelle. Diss. Heidelberg 1977.

25 Hans Haas, Amida Buddha unsere Zuflucht. Urkunden zum Verständnis des japanischen Sukhāvatī-Buddhismus. Göttingen und Leipzig 1910, S. 5 f.

26 Rudolf Otto, Die Gnadenreligion Indiens und das Christentum. Vergleich und Unterscheidung. Gotha 1930, S. 71 f. – Der im Sanskrit zitierte Text entstammt der Brihadāranyaka-Upanishad (1, 3, 28).

27 A. a. O., S. 79.

28 Nathan Söderblom, Natürliche Theologie und allgemeine Religionsgeschichte. Stockholm und Leipzig 1913, S. 77.

29 Vgl. die prinzipiellen Ausführungen bei Geo Widengren, Stand und Aufgaben der iranischen Religionsgeschichte I. In: Numen 1 (1954) 17.

30 P. D. Chantepie de la Saussaye, Die vergleichende Religionsforschung und der religiöse Glaube. Freiburg i. Br.–Leipzig–Tübingen 1898, S. 24.

31 Joachim Wach, Religionswissenschaft. Prolegomena zu ihrer wissenschaftstheoretischen Grundlegung. Leipzig 1924, S. 186.

32 Rudolf Otto, Vischnu-Nārāyana. Jena 1923, S. 218.

33 Friedrich Heiler, a. a. O. (Anm. 18), S. 19 ff.

34 Vgl. Thomas Ohm, Die Stellung der Heiden zu Natur und Übernatur nach dem hl. Thomas von Aquin. Münster 1927.

35 Vgl. Bruno Decker, Nicolaus von Cues und der Friede unter den Religionen. Leiden–Köln 1953; M. Seidlmayer, Una religio in rituum varietate. Zur Religionsauffassung des Nikolaus von Kues. In: Archiv für Kulturgeschichte 36 (1954) 145–207.

36 Peter Meinhold, Entwicklung der Religionswissenschaft im Mittelalter und zur Reformationszeit. In: Ulrich Mann (Hrsg.), Theologie und Religionswissenschaft. Der gegenwärtige Stand ihrer Forschungsergebnisse und Aufgaben im Hinblick auf ihr gegenseitiges Verhältnis. Darmstadt 1973, S. 360.

37 Meinhold, a. a. O., S. 371; vgl. ferner H. Vossberg, Luthers Kritik aller Religion. Leipzig und Erlangen 1922.

38 Erlanger Ausgabe. 2. Aufl. Bd. 11, S. 16.

39 Peter Meinhold, Philipp Melanchthon, der Lehrer der Kirche. Berlin 1960, S. 77 ff.

⁴⁰ Carl Heinz Ratschow, Systematische Theologie. In: U. Mann (Hrsg.), a. a. O., S. 417.

⁴¹ Vgl. Hendrik Kraemer, Religion und christlicher Glaube. Göttingen 1959, S. 55 ff.

⁴² Herbert Spencer, The Principles of Sociology. Teil 1. London 1877.

⁴³ Edward B. Tylor, Primitive Culture. London 1871; 4. Aufl. 1903; deutsch: Die Anfänge der Kultur. Untersuchungen über die Entwicklung der Mythologie, Philosophie, Religion, Kunst und Sitte. Leipzig 1873.

⁴⁴ Wilhelm Wundt, Völkerpsychologie II: Mythus und Religion. Leipzig 1905 ff.; zur Kritik vgl. Rudolf Otto, Das Gefühl des Überweltlichen. München 1932, S. 11 ff.

⁴⁵ Vgl. u. a. Rafael Karsten, The Religion of the Samek. Leiden 1955, bes. S. 22.

⁴⁶ Max Müller, Lectures on the Origin and Growth of Religion. London 1878, S. 54.

⁴⁷ R. R. Marett, The Threshold of Religion. London 1909; 2. Aufl. 1914.

⁴⁸ R. H. Codrington, The Melanesians. Oxford 1891, S. 119.

⁴⁹ Vgl. Th. P. van Baaren, Menschen wie wir. Religion und Kult der schriftlosen Völker. Gütersloh 1964, S. 112; A. M. Hocart, Mana. In: Man 14 (1914) 99; Erland Ehnmark, The Idea of God in Homer. Uppsala 1935, S. 36 ff.

⁵⁰ Charles de Brosses, Du culte des dieux fétiches. Paris 1760.

⁵¹ James G. Frazer, The Golden Bough. A Study in Magic and Religion. 12 Bde. London 1911–1927.

⁵² Geo Widengren, Evolutionistische Theorien auf dem Gebiet der vergleichenden Religionswissenschaft. In: G. Lanczkowski (Hrsg.), Selbstverständnis und Wesen der Religionswissenschaft. Darmstadt 1974, S. 104. – Zur Kritik evolutionistischer Religionstheorien vgl. ferner Geo Widengren, Religionens ursprung. En kort framställing av de evolutionistiska religionsteorierna och kritiken mot dessa. 2. Aufl. Stockholm 1963; Heinrich Frick, Über den Ursprung des Gottesglaubens und die Religion der Primitiven. In: Theologische Rundschau N. F. 1 (1929) 241 ff.; G. Lanczkowski, Forschungen zum Gottesglauben in der Religionsgeschichte. In: Saeculum 8 (1957) 392–403.

⁵³ Wilhelm Bousset, Die Mission und die sogenannte Religionsgeschichtliche Schule. Göttingen 1907.

⁵⁴ Vgl. W. Ittel, Urchristentum und Fremdreligionen im Urteil der Religionsgeschichtlichen Schule. Diss. Erlangen 1956; Carsten Colpe, Die religionsgeschichtliche Schule. Darstellung und Kritik ihres Bildes vom gnostischen Erlösermythos. Göttingen 1961.

⁵⁵ Vgl. Alfred Jeremias, Die Panbabylonisten, der Alte Orient und die ägyptische Religion. Leipzig 1907.

⁵⁶ Walter Baetke, Aufgabe und Struktur der Religionswissenschaft. In: Lanczkowski, Selbstverständnis und Wesen der Religionswissenschaft, a. a. O., S. 147.

⁵⁷ G. van der Leeuw, Phänomenologie der Religion. Tübingen 1933, S. 653.

58 Band 1. Tübingen 1925, S. 23–130.
59 Biographie: Fokke Sierksma, Professor Dr. G. van der Leeuw. Dinaar van God en Hoogleraar te Groningen. Amsterdam 1951.
60 Vgl. die Bibliographie in seiner Festschrift: Pro regno pro sanctuario, hrsg. von W. J. Kooiman und J. M. van Veen. Nijkerk 1950, S. 553 ff.
61 Phänomenologie der Religion. Tübingen 1933; 2. Aufl. 1956; 3. Aufl. 1970; 4. Aufl. 1977. – Beste Würdigung: Eva Hirschmann (-Schwarz), Phänomenologie der Religion. Würzburg 1940; vgl. ferner Jan Hermelink, Verstehen und Bezeugen. Der theologische Ertrag der „Phänomenologie der Religion" von Gerardus van der Leeuw. München 1960. – Kritik der Position van der Leeuws bei: Kurt Rudolph, Die Religionsgeschichte an der Leipziger Universität und die Entwicklung der Religionswissenschaft. Berlin 1962, S. 18.
62 G. van der Leeuw, Inleiding tot de phaenomenologie van den godsdienst. Haarlem 1924. 2. Aufl. 1948; deutsch: Einführung in die Phänomenologie der Religion. 2. Aufl. Darmstadt 1961.
63 Einführung in die Phänomenologie der Religion. 2. Aufl., a. a. O., S. 3.
64 Geo Widengren, Einige Bemerkungen über die Methoden der Phänomenologie der Religion. In: Lanczkowski, Selbstverständnis und Wesen, a. a. O., S. 263.
65 Gerardus van der Leeuw, Rudolf Otto und die Religionsgeschichte. In: Zeitschrift für Theologie und Kirche 1938, S. 71.
66 C. J. Bleeker, Inleiding tot en phaenomenologie van den godsdienst. Assen 1934. 2. Aufl. Amsterdam 1961; ders., De structuur van den godsdienst. Den Haag o. J.
67 Berlin–Stuttgart–Leipzig 1923.
68 London 1938.
69 Paris 1949. 2. Aufl. 1953.
70 Salzburg 1954.
71 Hamburg 1957.
72 In: Sammlung gemeinverständlicher Vorträge und Schriften aus dem Gebiet der Theologie und Religionsgeschichte, Nr. 205/206. Tübingen 1953.
73 Göttingen 1953.
74 Religion og kultus. Oslo 1950.
75 The Hague 1960.
76 Stuttgart 1960.
77 A. a. O., S. XXXI.
78 Stuttgart 1961.
79 Religionens värld. Religionsfenomenologiska studier och översikter. Stockholm 1945.
80 Religionsphänomenologie. Berlin 1969.
81 C. J. Bleeker, Wie steht es um die Phänomenologie der Religion? In: Bleeker, The Rainbow. Leiden 1975, S. 30 ff.
82 Delft 1954.
83 Lund 1968.
84 Stockholm 1972.

130   Anmerkungen

85 Rudolf Otto, Das Heilige. Über das Irrationale in der Idee des Göttlichen und sein Verhältnis zum Rationalen. Breslau 1917. 30. Aufl. München 1958.

86 Friedrich Heiler, Das Gebet. Eine religionsgeschichtliche und religionspsychologische Untersuchung. München 1918. 5. Aufl. 1923.

87 Nathan Söderblom, Das Werden des Gottesglaubens. Untersuchungen über die Anfänge der Religion. Leipzig 1916. 2. Aufl. Leipzig 1926; Nachdruck Hildesheim 1966.

88 C. J. Bleeker, Die Zukunftsaufgaben der Religionsgeschichte. In: Lanczkowski, Selbstverständnis und Wesen, a. a. O., S. 199.

89 Nathan Söderblom, Der lebendige Gott im Zeugnis der Religionsgeschichte, deutsch hrsg. von Friedrich Heiler. München 1942. 2. Aufl. München–Basel 1966, S. 20.

90 Joachim Wach, Zur Methodologie der allgemeinen Religionswissenschaft. In: Lanczkowski, Selbstverständnis und Wesen, a. a. O., S. 44.

91 A. a. O., S. 46.

92 Wilhelm Emil Mühlmann, Chiliasmus und Nativismus. Berlin 1961, S. 11 f.

93 Udāna VI, 4.

94 Wach, a. a. O. (Anm. 31), S. 150.

95 Vgl. Joachim Wach, Vergleichende Religionsforschung. Stuttgart 1962, S. 42.

96 Max Müller, Einleitung in die vergleichende Religionswissenschaft. Straßburg 1876, S. 14.

97 Raffaele Pettazzoni, Aperçu introductif. In: Numen 1 (1954) 1–7; deutsch in: Lanczkowski, Selbstverständnis und Wesen, a. a. O., S. 162.

98 Vgl. Pieter Lambrechts. De fenomenologische methode in de godsdienstwetenschap. Brüssel 1964.

99 Klaus Koch, Der Tod des Religionsstifters. Erwägungen über das Verhältnis Israels zur Geschichte der orientalischen Religionen. In: Kerygma und Dogma 8 (1962) 118.

100 Geo Widengren, Einige Bemerkungen über die Methoden der Phänomenologie der Religion. In: Lanczkowski, Selbstverständnis und Wesen, a. a. O., S. 268.

101 M. Winternitz, Der Mahāyāna-Buddhismus (Religionsgeschichtliches Lesebuch, 2. Aufl., Heft 15). Tübingen 1930, S. 20.

102 Heinrich Frick, Vergleichende Religionswissenschaft. Berlin und Leipzig 1928, S. 68–70.

103 Adolf Erman, Die Literatur der Ägypter. Leipzig 1923, S. 80.

104 Kurt Latte, Die Religion der Römer und der Synkretismus der Kaiserzeit (Religionsgeschichtliches Lesebuch, 2. Aufl., Heft 5). Tübingen 1927, S. 86.

105 "Holiness is the great word in religion; it is even more essential than the notion of God." – Söderblom hat seine Gedanken über „heilig" weiter ausgeführt in: Das Werden des Gottesglaubens, a. a. O. (Anm. 87), S. 162 ff.

106 Hierzu vgl. jetzt Carsten Colpe (Hrsg.), Die Diskussion um das „Heilige". Darmstadt 1977.

107 Vgl. Widengren, a. a. O. (Anm. 80), S. 33.

108 Exodus 3, 5.

109 Lanczkowski, Altägyptischer Prophetismus. Wiesbaden 1960, S. 34.

110 Torquato Tasso I, 80 f.

111 Alfons Kirchgässner, Die mächtigen Zeichen. Ursprünge, Formen und Gesetze des Kultes. Basel–Freiburg–Wien 1959, S. 37.

112 Vgl. u. a. Hans Rust, Heilige Stätten. Leipzig 1933, S. 110 f.

113 Das Heilige, 23.–25. Aufl. München 1936, S. 149.

114 Rudolf Otto, Das Gefühl des Überweltlichen. München 1932, S. 79. Vgl. H. Frick, Vergleichende Religionswissenschaft, a. a. O. (Anm. 102), S. 39.

115 Phänomenologie der Religion, a. a. O. (Anm. 61). 3. Aufl., S. 510.

116 Walter F. Otto, Dionysos. 3. Aufl. Darmstadt 1960, S. 30.

117 Handwörterbuch des Islam. Leiden 1941, S. 693 ff.

118 Vgl. Heinrich Frick, Über den Ursprung des Gottesglaubens und die Religion der Primitiven. In: Theologische Rundschau N. F. 1 (1929) 241 ff.; G. Lanczkowski, Forschungen zum Gottesglauben in der Religionsgeschichte. In: Saeculum 8 (1957) 392 ff.

119 Münster i. W. 1912–1955.

120 A. a. O. (Anm. 118), S. 247.

121 London 1898. 2. Aufl. 1910.

122 Vgl. Religionens värld, a. a. O. (Anm. 79), S. 131: „... högguden ursprungligen är en ödesmakt, bestammaren av människans öde, och fullkomligt upphöjd över gott och ont." – Vgl. ferner Geo Widengren, Hochgottglaube im alten Iran. Uppsala und Leipzig 1938; ders., Religionsphänomenologie, a. a. O. (Anm. 80), S. 46 ff.

123 Raffaele Pettazzoni, L'onniscienza di Dio. Turin 1955; engl.: The All-Knowing God. London 1956; ders., L'essere supremo nelle religioni primitive. Turin 1957; deutsch: Der allwissende Gott. Zur Geschichte der Gottesidee. Frankfurt a. M. und Hamburg 1960.

124 L'onniscienza di Dio, S. 12, 35 f., 384. – Zu tengri vgl. R. Bleichsteiner – W. Heissig – W. A. Unkrig, Wörterbuch der heutigen mongolischen Sprache. Wien–Peking 1941, S. 93.

125 Angelo Brelich, Il politeismo. In: X. Internationaler Kongreß für Religionsgeschichte, 11.–17. September 1960 in Marburg/Lahn. Marburg 1961, S. 55: «... infatti ad eccezione della Polinesia e delle Costa di Guinea, il politeismo non se trova sul livello etnologico, mentre à caratteristico delle cività superiori»; ders., Der Polytheismus. In: Numen 7 (1960) 133 f.

126 Max Müller, Vorlesungen über den Ursprung und die Entstehung der Religion. Straßburg 1881, 6. Vorlesung: Über Henotheismus, Polytheismus, Monotheismus und Atheismus.

127 Leonhard Schultze Jena, Alt-aztekische Gesänge. Stuttgart 1957, S. 96 f.

128 Vgl. Friedrich Heiler, Das Gebet. 5. Aufl. München 1923, S. 171 ff.

129 K. F. Geldner, Vedismus und Brahmanismus (Religionsgeschichtliches Lesebuch, 2. Aufl., Heft 9). Tübingen 1928, S. 48.

130 Albrecht Dieterich, Mutter Erde. Leipzig–Berlin 1905; 3. Aufl. 1925. –

Franz Altheim, Terra Mater. Gießen 1931. – Kurt Leese, Die Mutter als religiöses Symbol. Tübingen 1934.
131 Sam Wide, Chthonische und himmlische Götter. In: Archiv für Religionswissenschaft 10 (1907) 257–268.
132 Hans-Gustav Güterbock, Kumarbi. Mythen vom churritischen Kronos. Zürich–New York 1946. – Stig Wikander, Hethitiska myter hos greker och perser. In: Vetenskaps-Societeten i Lund Årsbok 1951, S. 35–56. – Heinrich Otten, Mythen vom Gotte Kumarbi. Neue Fragmente. Berlin 1950. – Hartmut Schmökel, Geschichte des alten Vorderasiens (Handbuch der Orientalistik II, 3). Leiden 1956, S. 151, 169.
133 Heinrich Otten, Das Hethiterreich. In: Hartmut Schmökel (Hrsg.), Kulturgeschichte des Alten Orient. Stuttgart 1961, S. 435.
134 Alan H. Gardiner, The Autobiography of Rekhmire. In: Zeitschrift für ägyptische Sprache und Altertumskunde 60 (1925) 69.
135 Shōzen Nakayama, On the Idea of God in the Tenrikyō Doctrine. Tenri 1957, S. 4.
136 Åke Hultkrantz, De amerikanska indianernas religioner. Stockholm 1967, S. 30 f. – Es ist hier nicht der Ort, die komplizierten religionsgeschichtlichen Fragen zu erörtern, die mit dem iranischen Zwillingsmythos verbunden sind.
137 F. Boll, Die Sonne im Glauben und in der Weltanschauung der alten Völker. Stuttgart 1922.
138 D. P. Pandey, Sūrya. Diss. Leiden 1939.
139 Joachim Spiegel, Der Sonnengott in der Barke als Richter. In: Mitteilungen des Deutschen Instituts für Ägyptische Altertumskunde in Kairo 8 (1939) 201 ff. – Erich Winter, Zur Deutung der Sonnenheiligtümer der 5. Dynastie. In: Wiener Zeitschrift für die Kunde des Morgenlandes 54 (1957) 222 ff. – A. Weigall, Echnaton, König von Ägypten, und seine Zeit. Basel 1923. – Heinrich Schäfer, Amarna in Religion und Kunst. Leipzig 1931. – J. Spiegel, Soziale und weltanschauliche Reformbewegungen im alten Ägypten. Heidelberg 1950.
140 Karl Kerényi, Vater Helios. In: Eranos-Jahrbuch 10 (1943) 81–124.
141 Psalm 19, 6.
142 Leonhard Schultze Jena, Wahrsagerei, Himmelskunde und Kalender der alten Azteken. Stuttgart 1950, S. 30 f.
143 Eduard Meyer, Geschichte des Altertums I, 2. 2. Aufl. Stuttgart und Berlin 1909, S. 133.
144 Pedro de Cieza de Leon, Auf den Königsstraßen der Inkas. Stuttgart 1971, S. 132.
145 G. Lanczkowski, Aufstieg und Untergang des Inka-Reiches. In: Universitas 20 (1965) 849.
146 Gaston H. Halsberghe, The Cult of Sol Invictus. Leiden 1972. – Paul Schmidt, Sol invictus. In: Eranos-Jahrbuch 11 (1944) 169–252.
147 Åke Hultkrantz (Hrsg.), The Supernatural Owners of Nature. Uppsala 1961. – Ivar Paulson, Schutzgeister und Gottheiten des Wildes (der Jagd-

tiere und Fische) in Nordeurasien. Stockholm 1961. – Hans-Joachim Paproth, Studien über das Bärenzeremoniell I. Uppsala 1976.

148 Ugo Bianchi, Trickster e demiurgi presso culture primitive de cacciatori. In: Festschrift Walter Baetke. Weimar 1966, S. 68–78. – Paul Radin, The Trickster. A Study in American Indian Mythology. London 1956. – C. G. Jung – K. Kerényi – P. Radin, Der göttliche Schelm. Zürich 1954. – W. Brede Kristensen, De goddelijke bedrieger. Amsterdam 1928.

149 Eduard Seler, Einige Kapitel aus dem Geschichtswerk des Fray Bernardino de Sahagún. Stuttgart 1927, S. 2.

150 Alfred Bertholet, Götterspaltung und Göttervereinigung. Tübingen 1933.

151 Der Typus der Sondergötter wurde herausgestellt von: Hermann Usener, Götternamen. Versuch einer Lehre von der religiösen Begriffsbildung. Bonn 1896. 4. Aufl. Frankfurt a. M. 1948.

152 Vgl. Helmer Ringgren, Word and Wisdom. Studies in the Hypostatization of Divine Qualities and Functions in the Ancient Near East. Lund 1947.

153 Kurt Latte, Römische Religionsgeschichte. München 1960, S. 233 ff.

154 F. E. A. Krause, Ju – Tao – Fu. München 1924, S. 216.

155 Hermann Kees, Der Götterglaube im alten Ägypten. 2. Aufl. Berlin 1956, S. 119 ff.

156 Hartmut Schmökel, Eigene und fremde Götter in der Religion des frühöstlichen Indogermanentums. In: Archiv für Religionswissenschaft 37 (1941/42) 1–11.

157 O. R. Gurney, The Hittites. London 1952, S. 132 ff.

158 Eduard Meyer, Die Entwicklung der Kulte von Abydos und die sogenannten Schakalsgötter. In: Zeitschrift für ägyptische Sprache und Altertumskunde 41 (1904) 97 ff.

159 Hartmut Schmökel, Kulturgeschichte des Alten Orient. Stuttgart 1961, S. 280.

160 J. Keil, Charisma. Wien 1925, S. 20 ff.

161 Karl Hoenn, Artemis. Gestaltungswandel einer Göttin. Zürich 1946.

162 Franz Rolf Schröder, Die Germanen (Religionsgeschichtliches Lesebuch, 2. Aufl., Heft 12). Tübingen 1929, S. 74.

163 Wilhelm Schwartz, Der Ursprung der Mythologie, dargelegt an griechischer und deutscher Sage. Berlin 1860, S. 5 f.

164 Rudolf Otto, Das Gefühl des Überweltlichen. München 1932, S. 66 f.

165 Raffaele Pettazzoni, Verità del mito. In: Studi e materiali di storia delle religioni 21 (1947/48) 104; deutsch in: Paideuma 4 (1950) 1.

166 Ugo Bianchi, Probleme der Religionsgeschichte. Göttingen 1964, S. 94 f.

167 1. Kor. 10, 20.

168 2. Kön. 1, 2; vgl. Victor Maag, Jahwäs Begegnung mit der kanaanäischen Kosmologie. In: Asiatische Studien 18–19 (1965) 263.

169 Matth. 12, 24; Mark. 3, 22. Auf diesen Stellen beruht die Redensart „den Teufel durch Beelzebub austreiben".

134 Anmerkungen

170 Jesaja 51, 9.

171 Paideuma 4, a. a. O. (Anm. 165), S. 4.

172 Vgl. G. Widengren, Myth and History in Israelite-Jewish Thought. In: Culture and History. Essays in Honor of Paul Radin. New York 1960, S. 477.

173 Vgl. Lanczkowski, Altägyptischer Prophetismus. Wiesbaden 1960, S. 31.

174 Vgl. Richard Schaeffler, Einführung in die Geschichtsphilosophie. Darmstadt 1973, S. 94.

175 Angelo Brelich, Der Polytheismus. In: Numen 7 (1960) 130.

176 C. G. Jung, Psychologie und Religion. Zürich 1940; ders., Antwort auf Hiob. Zürich 1952.

177 Walter F. Otto, Theophania. Der Geist der altgriechischen Religion. Hamburg 1956, S. 19 ff.

178 Dies trat sehr deutlich in Erscheinung auf dem 16. deutschen Soziologentag, der im Frühjahr 1968 in Frankfurt stattfand.

179 Goethe, Faust I, 279 f.

180 José Ortega y Gasset, Das Wesen geschichtlicher Krisen. Stuttgart 1955, S. 55.

181 In besonders penetranter Weise bei: Ernst Topitsch, Vom Ursprung und Ende der Metaphysik. Eine Studie zur Weltanschauungskritik. Wien 1958.

182 Samuel Noah Kramer, Sumerian Mythology. New York 1961, S. 64 ff.

183 Henri Frankfort, Kingship and the Gods. Chicago 1948, S. 35. – John A. Wilson, The Burden of Egypt. Chicago 1951, S. 76.

184 Joachim Spiegel, Die Idee vom Totengericht in der ägyptischen Religion. Glückstadt 1935, S. 7, 11.

185 G. Lanczkowski, Zur ägyptischen Religionsgeschichte des Mittleren Reiches I. Das Gespräch zwischen Atum und Osiris. In: Zeitschrift für Religions- und Geistesgeschichte 5 (1953) 222–231.

186 Rigveda 4, 42, 1–7; K. F. Geldner, Vedismus und Brahmanismus (Religionsgeschichtliches Lesebuch, 2. Aufl., Heft 9). Tübingen 1928, S. 44 f.; vgl. Jan Gonda, Die Religionen Indiens I. Veda und älterer Hinduismus. Stuttgart 1960, S. 81 f.

187 Wilhelm Gundert, Japanische Religionsgeschichte. 2. Aufl. Stuttgart 1943, S. 10.

188 Vgl. Th. P. van Baaren, Menschen wie wir. Religion und Kult der schriftlosen Völker. Gütersloh 1964, S. 187.

189 Carl Meinhof, Die Religionen der Afrikaner in ihrem Zusammenhang mit dem Wirtschaftsleben. Oslo 1926, S. 54.

190 Erich Rothacker, Die dogmatische Denkform in den Geisteswissenschaften und das Problem des Historismus. Wiesbaden 1954, S. 46.

191 In: Revue philosophique 1947, S. 257–281; das Manuskript ging auf das Jahr 1938 zurück.

192 van Baaren, a. a. O. (Anm. 188), S. 24.

193 Benno Landsberger, Die Eigenbegrifflichkeit der babylonischen Welt. In: Islamica 2 (1926) 355–372, bes. S. 369.

194 J. J. M. de Groot, Universismus. Die Grundlagen der Religion und Ethik, des Staatswesens und der Wissenschaften Chinas. Berlin 1918.

195 Ausführlichste Untersuchung: C. J. Bleeker, De Beteekenis van de Egyptische Godin Ma-a-t. Leiden 1929; ders., L'idée de l'ordre cosmique dans l'ancienne Egypte. In: Revue d'Histoire et de Philosophie Religieuses 1962, S. 193–200.

196 Henri Gauthier, Le livre des rois de l'Egypte. Bd. 1. Le Caire 1907, S. 106 f.

197 Diodor I, 70.

198 Karl Oberhuber, Der numinose Begriff ME im Sumerischen. Innsbruck 1963.

199 J. van Dijk, Sumerische Religion. In: Asmussen-Laessøe, Handbuch der Religionsgeschichte, hrsg. von Carsten Colpe. Bd. 1. Göttingen 1971, S. 440 f.

200 Walther Hinz, Das Reich Elam. Stuttgart 1964, S. 41 f.

201 Kai Donner, Über soghdisch nom „Gesetz" und samojedisch nom „Himmel, Gott". In: Studia Orientalia 1 (Helsinki 1925) 1–6.

202 Åke Hultkrantz, Die Religionen der amerikanischen Arktis. In: Paulson – Hultkrantz – Jettmar, Die Religionen Nordeurasiens und der amerikanischen Arktis. Stuttgart 1962, S. 374 ff.

203 Emanuel Sarkisyanz, Rußland und der Messianismus des Orients. Tübingen 1955, S. 25.

204 Sarkisyanz, a. a. O., S. 26.

205 Julius von Negelein, Weltanschauung des indogermanischen Asiens. Erlangen 1924, S. 100.

206 Rigveda 5, 62, 1; Geldner, Vedismus und Brahmanismus, S. 42.

207 Rigveda 4, 23, 8 ff.; Geldner, a. a. O., S. 49.

208 Hermann Oldenberg, Die Religion des Veda. 2. Aufl. Stuttgart und Berlin 1917, S. 195.

209 Vgl. Rudolf Otto, Gottheit und Gottheiten der Arier. Gießen 1932, S. 94.

210 Hermann Oldenberg, Vorwissenschaftliche Wissenschaft. Die Weltanschauung der Brāhmana-Texte. Göttingen 1919, S. 124 ff.

211 Die Ansicht, Rita und Satya seien bedeutungsgleich, vertrat Heinrich Lüders, Die magische Kraft der Wahrheit im alten Indien. In: Zeitschrift der Deutschen Morgenländischen Gesellschaft 98 (1944) 1–44; ders., Varuna II. Varuna und das Rita. Göttingen 1959. – Diese These ist mehrfach kritisiert worden und wird heute kaum noch aufrechterhalten.

212 Vgl. J. Gonda, Het begrip Dharma in het Indische Denken. In: Tijdschrift voor Philosophie 20 (1958) 213–268.

213 Das sinojapanische Äquivalent ist *do*, das rein japanischem *michi* entspricht. Im Sanskrit wird *tao* im allgemeinen wörtlich mit *marga*, „Weg", wiedergegeben. In buddhistischen Texten kann *tao* auch für *bodhi*, „Erleuchtung", stehen.

214 Erich Schmitt, Die Chinesen (Religionsgeschichtliches Lesebuch, 2. Aufl., Heft 6). Tübingen 1927, S. 38.

215 Richard Wilhelm, Laotse. Tao Te King. Das Buch des Alten vom Sinn und Leben. Jena 1921. Neudruck 1941, S. 20.

216 J.-J.-L. Duyvendak, Tao Tö King. Le livre de la voie et de la vertue. Paris 1953, S. IX, 41. – Hu Shih, A Criticism of some recent methods used in dating Lao-tsu. In: Harvard Journal of Asiatic Studies 2 (1937) 373–397.

217 Lun Yü IV, 8; Hans O. H. Stange, Gedanken und Gespräche des Konfuzius. München 1953, S. 50.

218 Heinrich Hackmann, Chinesische Philosophie. München 1927, S. 26.

219 Vgl. Robert Eisler, Sternenmantel und Himmelszelt. München 1910. – G. Lanczkowski, Makrokosmos und Mikrokosmos. In: Die Religion in Geschichte und Gegenwart. Bd. 4. Tübingen 1960, Sp. 624 f.

220 Physik VIII, 2, 252 b; vgl. Anders Olerud, L'idée de macrocosmos et de microcosmos dans le Timée de Platon. Diss. Uppsala 1951.

221 Vgl. u. a. Jørgen Laessøe, Babylonische und assyrische Religion. In: Handbuch der Religionsgeschichte, a. a. O. (Anm. 199), S. 517.

222 Anthony Christie, Chinesische Mythologie. Wiesbaden 1968, S. 47 f.

223 Helmut Hoffmann, Symbolik der tibetischen Religionen und des Schamanismus. Stuttgart 1967, S. 96 f.

224 Grímnismál 40.

225 Aitareya-Brāhmana VIII, 27.

226 Rigveda X, 90, 11–12.

227 Der Text nennt die vier Kastengruppen des Brahmanen, des Herrschers und Kriegers, des Bauern und des Sklaven.

228 Vgl. Genesis 28, 12.

229 Heinrich Schäfer, Weltgebäude der alten Ägypter. Berlin und Leipzig 1928, S. 87, 106 f.

230 Mircea Eliade, Der Mythos der ewigen Wiederkehr. Düsseldorf 1953, S. 16.

231 Eliade, a. a. O., S. 18 f.

232 Karl Ludwig Schmidt, Jerusalem als Urbild und Abbild. In: Eranos-Jahrbuch 18 (1950) 207–248.

233 Eine gute Übersicht über große heilige Stätten der Menschheit vermittelt: Hans Rust, Heilige Stätten. Leipzig 1933. – Über heilige Stätten innerhalb Deutschlands: Michael Hartig, Stätten der Gnade. München 1947.

234 Vgl. Heinrich Nissen, Templum. Berlin 1869.

235 Wilhelm Heinrich Roscher, Omphalos. Leipzig 1913; ders., Neue Omphalosstudien. Leipzig 1915; ders., Der Omphalosgedanke bei verschiedenen Völkern. Leipzig 1918. – A. J. Wensinck, The Ideas of Western Semites concerning the Navel of the Earth. Amsterdam 1916. – Eliade, Der Mythos der ewigen Wiederkehr, a. a. O., S. 24 ff. – Werner Müller, Die heilige Stadt. Roma quadrata, himmlisches Jerusalem und die Mythe vom Weltnabel. Stuttgart 1961.

236 Lars-Ivar Ringbom, Graltempel und Paradies. Stockholm 1951.

237 Richter 9, 37.

[238] Fritz Felbermayer, Sagen und Überlieferungen der Osterinsel. Nürnberg 1971, S. 6.

[239] Die Lehre der Tenrikyō, Tenri 1958, S. 45.

[240] Romano Guardini, Das Ende der Neuzeit. Basel 1950, S. 35, Anm. 1.

[241] E. Schultze (Hrsg.), Die Eroberung von Mexiko. Drei eigenhändige Berichte von Ferdinand Cortez an Kaiser Karl V. Hamburg 1907, S. 174 ff.

[242] Robert Schinzinger, Der Denkstil Ostasiens. In: Nachrichten der Gesellschaft für Natur- und Völkerkunde Ostasiens 73 (1952) 15.

[243] Vgl. Carl Hentze, Das Haus als Weltort der Seele. Stuttgart 1961.

[244] Vgl. Angelo Brelich, Vesta. Zürich 1949.

[245] Vgl. Heinrich Frick, Die aktuelle Aufgabe der Religionsphänomenologie. In: Theologische Literaturzeitung 75 (1950) Sp. 641–646.

[246] F. C. Andreas und Walter Henning, Mitteliranische Manichaica aus Chinesisch-Turkestan. Berlin 1933, S. 295.

[247] Vgl. Lanczkowski, Begegnung und Wandel der Religionen. Düsseldorf–Köln 1971, S. 113.

[248] P. Couderc, Le calendrier. Paris 1946. – Vgl. ferner: M. H. Hubert, Etude sommaire de la représentation du temps dans la religion. Paris 1950. – Mensch und Zeit = Eranos-Jahrbuch 20 (1950). – M. Eliade, Der Mythos der ewigen Wiederkehr. Düsseldorf 1953.

[249] de Groot, a. a. O. (Anm. 194), S. 312 ff.

[250] F. M. Th. Böhl, Niewjaarsfeest en koningsdag in Babylon en Israel. Groningen 1927. – R. Pettazzoni, Essays in the History of Religions. Leiden 1954, S. 24 ff.

[251] A. van Gennep, Les rites de passage. Paris 1909.

[252] Nathan Söderblom, Einführung in die Religionsgeschichte. Leipzig 1928, S. 30.

[253] Leonhard Schultze Jena, Wahrsagerei, Himmelskunde und Kalender der alten Azteken. Stuttgart 1950.

[254] H. Thurston, The Holy Year of Jubilee. London 1925.

[255] 3. Mose 25, 8–54.

[256] Es versteht sich, daß in dieser ›Einführung‹ die komplizierten Fragen unberücksichtigt bleiben, die mit der „unerschaffenen Zeit" des Zervanismus und mit verwandten Vorstellungen verbunden sind.

[257] Zum Thema „Religion und Recht" vgl. E. Westermarck, The Origin and Development of Moral Ideas. 2 Bde. London 1906–1908. 2. Aufl. 1926. – Nicht voll befriedigend ist Werner Schilling, Religion und Recht. Stuttgart 1957.

[258] Jørgen Laessøe, Babylonische und assyrische Religion. In: Asmussen – Laessøe in Verb. mit C. Colpe, Handbuch der Religionsgeschichte. Bd. 1. Göttingen 1971, S. 498.

[259] Pettazzoni, a. a. O. (Anm. 123).

[260] Xenophanes, Fragm. 24.

[261] Eduard Seler, Einige Kapitel aus dem Geschichtswerk des Fray Bernardino de Sahagún. Stuttgart 1927, S. 264.

262 Vgl. Le jugement des morts (Sources orientales 4). Paris 1961.

263 Joachim Spiegel, Die Idee vom Totengericht in der ägyptischen Religion. Glückstadt 1935.

264 Joachim Wach, Religionssoziologie. Tübingen 1951, S. 375 ff.

265 Die Tatsache, daß das Sakralherrschertum einen Schwerpunkt der neueren Forschung bildete, fand ihren Niederschlag in einer sehr umfangreichen Literatur, von der hier nur die wichtigsten Arbeiten angeführt werden können. Mit sehr ausführlichen bibliographischen Angaben versehen ist das Werk von Ivan Engnell, Studies in Divine Kingship in the Ancient Near East. Uppsala 1943. – Äußerst aufschlußreich ist die unter dem Titel ›The Sacral Kingship – La regalità sacra‹ 1959 in Leiden veröffentlichte Sammlung von Vorträgen, die auf dem 1955 in Rom veranstalteten internationalen religionswissenschaftlichen Kongreß gehalten wurden, dessen Zentralthema das Gottkönigtum war. – Vgl. ferner: H. Frankfort, Kingship and the Gods. Chicago 1948. – J. G. Frazer, The Magical Origin of Kings. London 1920. – C. J. Gadd, Ideas of Divine Rule in the Ancient East. London 1948. – W. Gundert, Die Entwicklung und Bedeutung des Tennoo-Gedankens in Japan. In: Der Orient in deutscher Forschung, Leipzig 1944, S. 137–157. – A. M. Hocart, Kingship. Oxford 1927. – S. H. Hooke (Hrsg.), Myth, Ritual, and Kingship. Oxford 1958. – A. Moret, Du caractère religieux de la royauté pharaonique. Paris 1902. – F. Taeger, Charisma. Studien zur Geschichte des antiken Herrscherkults. 2 Bde. Stuttgart 1957. – G. Widengren, The King and the Tree of Life in Ancient Near Eastern Religion. Uppsala 1951. – Ders., Sakrales Königtum im Alten Testament und im Judentum. Stuttgart 1955. – Ph. Wolff-Windegg, Die Gekrönten. Stuttgart 1958.

266 Mānava Dharma Shāstra VII, 8.

267 Aristoteles, Politeia III, 9.

268 Wolff-Windegg, a. a. O. (Anm. 265), S. 70.

269 1. Sam. 10, 1.

270 2. Sam 2, 4.

271 1. Kön. 1, 34.

272 Percy Ernst Schramm, Geschichte des englischen Königtums im Lichte der Krönung. Weimar 1937, S. 7.

273 Erich Fascher, Prophétes. Gießen 1927. – H. W. Hertzberg, Prophet und Gott. Gütersloh 1923. – A. Jepsen, Nabi. München 1934. – E. Sellin, Der alttestamentliche Prophetismus. Leipzig 1912. – P. Volz, Prophetengestalten des Alten Testaments. Stuttgart 1938. – H. Junker, Prophet und Seher in Israel. Trier 1928. – C. Kuhl, Israels Propheten. München–Bern 1956. – G. Lanczkowski, Altägyptischer Prophetismus. Wiesbaden 1960. – F. Dirlmeier, Apollon. In: Archiv für Religionswissenschaft 36 (1939) 277–299. – W. von Soden, Verkündigung des Gotteswillens durch prophetisches Wort in den altbabylonischen Briefen aus Mari. In: Die Welt des Orients 1 (1950) 397–403. – Tor Andrae, Mohammed. Göttingen 1932. – M. Anesaki, Nichiren, the Buddhist Prophet. Cambridge 1916.

274 Vgl. Jes. 6; Jer. 1; Ez. 1–3; Amos 7, 15.

275 1. Kön. 18.

276 Vgl. u. a. Evelyn Underhill, Mystik. München 1928. – G. Mehlis, Die
Mystik in der Fülle ihrer Erscheinungsformen. München 1927. – R. C. Zaeh-
ner, Mystik – religiös und profan. Stuttgart 1961. – J. H. Leuba, Psychologie
du mysticisme religieux. Paris 1925. – Sven S. Hartman und Carl-Martin
Edsman (Hrsg.), Mysticism (Scripta Instituti Donneriani Aboensis V). Stockholm 1970.

277 Vgl. Rudolf Otto, West-östliche Mystik. Vergleich und Unterscheidung
zur Wesensdeutung. Gotha 1926. – Hilko Wiardo Schomerus, Meister Ecke-
hart und Manikka-Vāśagar. Mystik auf deutschem und indischem Boden.
Gütersloh 1936. – Shizuteru Ueda, Die Gottesgeburt der Seele und der Durchbruch zur Gottheit. Die mystische Anthropologie Meister Eckarts und ihre
Konfrontation mit der Mystik des Zen-Buddhismus. Gütersloh 1965. – Heinrich Dumoulin, Östliche Meditation und christliche Mystik. Freiburg–München
1966. – William Johnston, Der ruhende Punkt. Zen und christliche Mystik.
Freiburg 1974.

278 Friedrich Heiler, Die Mystik der Upanishaden. München 1925.

279 Friedrich Heiler, Die buddhistische Versenkung. 2. Aufl. München 1921.

280 Vgl. u. a. Heinrich Dumoulin, Zen. Geschichte und Gestalt. Bern 1959. –
Hugo M. Enomiya-Lassalle, Zen-Buddhismus. 2. Aufl. Köln 1972. – Hjalmar
Sundén, Zen. Historik, analys och betydelse. Stockholm 1967.

281 Tor Andrae, Islamische Mystiker. Stuttgart 1960.

282 Gershom Scholem, Die jüdische Mystik in ihren Hauptströmungen.
Frankfurt–Berlin 1957.

283 Bis heute beste Darstellung: Wilhelm Preger, Geschichte der deutschen
Mystik im Mittelalter. 3 Bde. 1874–1893.

284 Gershom Scholem, Jüdische Mystik in West-Europa im 12. und 13. Jahrhundert. In: Paul Wilpert (Hrsg.), Judentum im Mittelalter. Berlin 1966,
S. 37.

285 Søren Holm, Religionsphilosophie. Stuttgart 1960, S. 211.

286 M. Winternitz, Der ältere Buddhismus (Religionsgeschichtliches Lesebuch, 2. Aufl., Heft 11). Tübingen 1929, S. 11.

287 A. a. O. (Anm. 286), S. 15.

288 3. Mose 23, 12.

289 Hans O. H. Stange, Gedanken und Gespräche des Konfuzius. Lun Yü.
München 1953, S. 160 f.

290 Vgl. Joachim Wach, Meister und Jünger. Leipzig 1925.

291 Matth. 5, 21 ff.

292 Vgl. Geo Widengren, Die Religionen Irans. Stuttgart 1965, S. 73.

293 Sure 3, 60; ähnlich Sure 2, 129.

293a Hans Jakob Polotsky, Manichäische Homilien. Stuttgart 1934, S. 47.

294 G. Lanczkowski, Einige systematische Erwägungen zu neuzeitlichen
Religionsstiftungen. In: Kairos 1964, S. 213.

295 Stange, a. a. O. (Anm. 289), S. 72.

296 F. E. A. Krause, Ju-Tao-Fu. München 1924, S. 97.

297 A. Weigall, Echnaton, König von Ägypten, und seine Zeit. Basel 1923.
298 Joachim Spiegel, Soziale und weltanschauliche Reformbewegungen im
alten Ägypten. Heidelberg 1950, S. 57–79.
299 L. Sabourin, Priesthood. A Comparative Study. Leiden 1973. – E. O.
James, Das Priestertum. Wiesbaden 1957. – P. Gordon, Le sacerdoce à tra-
vers les âges. Paris 1950. – A. Horneffer, Der Priester. 2 Bde. Jena 1912. –
W. Otto, Priester und Tempel im hellenistischen Ägypten. 2 Bde. Leipzig
1905. – W. Graf Baudissin, Geschichte des alttestamentlichen Priestertums.
Leipzig 1889. – J. Lippert, Allgemeine Geschichte des Priestertums. 2 Bde.
Berlin 1883–1884.
300 Caesar, De Bello Gallico VI, 13.
301 Walter Lehmann, Sterbende Götter und christliche Heilsbotschaft.
Wechselreden indianischer Vornehmer und spanischer Glaubensapostel in
Mexiko 1524, hrsg. von Gerdt Kutscher. Stuttgart 1949, S. 96 f.
302 Titel der beiden höchsten Priester des aztekischen Mexiko.
303 Aus der umfangreichen Literatur ist v. a. zu verweisen auf: Carl-
Martin Edsman (Hrsg.), Studies in Shamanism. Stockholm 1967. – Helmut
Hoffmann, Symbolik der tibetischen Religionen und des Schamanismus.
Stuttgart 1967. – Åke Hultkrantz, A Definition of Shamanism. In: Temenos 9
(1974) 25–37. – Harald Motzki, Schamanismus als Problem religionswissen-
schaftlicher Terminologie. Bonn–Köln 1977. – I. Paulson – Å. Hultkrantz –
K. Jettmar, Die Religionen Nordeurasiens und der amerikanischen Arktis.
Stuttgart 1962. – Mircea Eliade, Schamanismus und archaische Ekstasetechnik.
Zürich–Stuttgart 1957. – Å. Ohlmarks, Studien zum Problem des Schamanismus. Lund–Kopenhagen 1939. – G. Nioradze, Der Schamanismus bei den
sibirischen Völkern. Stuttgart 1925.
304 Vgl. J. Németh, Über den Ursprung des Wortes shaman und einige
Bemerkungen zur türkisch-mongolischen Lautgeschichte. In: Keleti Szemle 14
(1913/14) 240–249. – B. Laufer, Origin of the Word shaman. In: American
Anthropologist 19 (1917) 361–371.
305 H. Hoffmann, a. a. O. (Anm. 303), S. 100.
306 Vgl. u. a. Andrejs Johansons, The Shamaness of the Abkhazians. In:
History of Religions 11 (1972) 251 ff.
307 Eliade, a. a. O. (Anm. 303), S. 14.
308 Alfred Métraux, Le Shamanisme chez les Indiens de l'Amérique du
Sud tropicale. In: Acta Americana 2 (1944) 197 ff.
309 Eduard Erkes, Mystik und Schamanismus. In: Artibus Asiae 8 (1945)
201.
310 Th. P. van Baaren, Menschen wie wir. Gütersloh 1964, S. 131.
311 Ohlmarks, a. a. O. (Anm. 303), S. 1.
312 G. Lanczkowski, Verborgene Heilbringer. Darmstadt 1977.
313 Lanczkowski, a. a. O. (Anm. 312), S. 23 ff. – Ders., Gotteshüter und
verborgene Heilbringer. In: Bleeker – Widengren – Sharpe (Hrsg.), Proceed-
ings of the XIIth International Congress of the International Association for
the History of Religions, Stockholm 1970. Leiden 1975, S. 290 ff.

313a Vgl. C. J. Bleeker, The Sacred Bridge. Leiden 1963, S. 236 f.

314 Basic Terms of Shinto. Tokyo 1958, S. 29.

315 Dominik Schröder, Zur Struktur des Schamanismus. In: Anthropos 50 (1955) 867.

316 Hans von Campenhausen, Die Idee des Martyriums in der Alten Kirche. Göttingen 1936. – H. Delahaye, Les origines du culte des martyrs. Brüssel 1912; 2. Aufl. 1933. – F. Dornseiff, Der Märtyrer, Name und Bewertung. In: Archiv für Religionswissenschaft 22 (1924) 133–153. – Hans Lietzmann, Die drei ältesten Martyrologien. Bonn 1911. – Theodor Klauser, Christlicher Märtyrerkult, heidnischer Heroenkult und jüdische Heiligenverehrung. Köln–Opladen 1960.

317 Vgl. Jes. 53; Phil. 2, 9.

318 Friedrich Heiler, Erscheinungsformen und Wesen der Religion, S. 406.

319 3. Mose 19, 2.

320 Vgl. Sigmund Mowinckel, Religion und Kultus, S. 47.

321 Zum buddhistischen Heiligen vgl. u. a. André Bareau, Die Religionen Indiens III. Stuttgart 1964, S. 48 ff. – Kurt Schmidt, Buddhistische Heilige. Konstanz 1947.

322 H. Delahaye, Sanctus. Essai sur le culte des saints dans l'antiquité. Brüssel 1927. – E. Lucius, Die Anfänge des Heiligenkults in der christlichen Kirche. Tübingen 1904.

323 Ernst Kuhn, Barlaam und Joasaph. München 1897.

324 Hermann Güntert, Von der Sprache der Götter und Geister. Bedeutungsgeschichtliche Untersuchungen zur homerischen und eddischen Göttersprache. Halle (Saale) 1921.

325 O. Kern, Die Religion der Griechen. Bd. 1. Berlin 1926, S. 288.

326 Walther Zimmerli, Die Weisung des Alten Testamentes zum Geschäft der Sprache. In: Wilhelm Schneemelcher, Das Problem der Sprache in Theologie und Kirche. Berlin 1959, S. 5.

327 Sure 26, 195.

328 Sure 85, 21.

329 Vgl. Walter Porzig, Das Wunder der Sprache. Probleme, Methoden und Ergebnisse der modernen Sprachwissenschaft. 2. Aufl. Bern 1957, S. 247 f.

330 Diodor, V, 31, 4.

331 Vgl. Geo Widengren, Die Religionen Irans. Stuttgart 1965, S. 20, 78, 160.

332 Hermann Güntert, Über die ahurischen und daevischen Ausdrücke im Avesta. Heidelberg 1914.

333 Hans-Werner Gensichen, Aufstand gegen die Götter. Religiöse Aspekte der dravidischen Bewegung in Südindien. In: Basileia. Festschrift Walter Freytag. Stuttgart 1959, S. 252 ff.

334 G. Lanczkowski, Heilige Schriften. Inhalt, Textgestalt und Überlieferung. Stuttgart 1956. – F. F. Bruce – E. G. Rupp (Hrsg.), Holy Book and Holy Tradition. Manchester 1968.

335 Römer 1, 2.

336 M. Winternitz, Geschichte der indischen Literatur. Bd. 1. Leipzig 1908, S. 50.

337 Koran, Sure 9, 29.

338 Ed. Chavannes, Les mémoires de Se-ma-Ts'ien. Bd. 2. Paris 1895, S. 169 ff.

339 Eduard Seler, Einige Kapitel aus dem Geschichtswerk des Fray Bernardino de Sahagún. Stuttgart 1927, S. 435 f.

340 VIII, 2, 1; 4.

341 Francis Jordan, Aus den Tagen des Tammuz. München 1950, S. 122.

342 Umfassendste Monographie: R. Will, Le culte. 3 Bde. Strasbourg 1925.

343 1. Kor. 14, 34.

344 Maarten J. Vermaseren, Mithras. Geschichte eines Kultes. Stuttgart 1965, S. 23 ff.

345 A. Loisy, Essai historique sur le sacrifice. Paris 1920. – E. O. James, Origins of Sacrifice. London 1930. – A. Bertholet, Der Sinn des kultischen Opfers. Berlin 1942. – A. Vorbichler, Das Opfer auf den uns heute noch erreichbaren ältesten Stufen der Menschheit. Mödling 1956.

346 G. van der Leeuw, Die Do-ut-des-Formel in der Opfertheorie. In: Archiv für Religionswissenschaft 20 (1920) 241–253.

347 1. Mose 22.

348 H. Haag, Das Opfer im Alten Testament (Biblische Beiträge N. F. 1). Einsiedeln 1961.

349 Z. B. 1. Sam. 15, 22; Jes. 1, 11; Hosea 6, 6; Amos 5, 21 f.

350 1. Kor. 5, 7; Hebr. 9, 28.

351 Mowinckel, Religion und Kultus, S. 9.

352 Carl Heinz Ratschow, Magie und Religion. Gütersloh 1955, S. 27. – Vgl. auch Alfred Bertholet, Kultische Motivverschiebungen. Berlin 1938, S. 164–184.

353 Richard Wünsch, Das Frühlingsfest der Insel Malta. Leipzig 1902. – Alfons Kirchgässner, Die mächtigen Zeichen. Ursprünge, Formen und Gesetze des Kultes. Basel–Freiburg–Wien 1959, S. 313.

354 Albrecht Dieterich, Sommertag. Leipzig und Berlin 1905. – Alfons Kirchgässner, Die mächtigen Zeichen. Ursprünge, Formen und Gesetze des Kultes. Basel–Freiburg–Wien 1959, S. 313.

355 Johan Huizinga, Homo Ludens. Vom Ursprung der Kultur im Spiel. Hamburg 1956 (1. Aufl. 1938).

356 G. van der Leeuw, Vom Heiligen in der Kunst. Gütersloh 1957.

357 August Winnig, Die Hand Gottes. Berlin 1940, S. 88.

358 Hans Leisegang, Denkformen. 2. Aufl. Berlin 1951, S. 355–442.

359 Ratschow, a. a. O. (Anm. 352), S. 65.

360 1. Mose 8, 22.

361 C. Nimuendajú-Unkel, Die Sagen von der Erschaffung und Vernichtung der Welt als Grundlagen der Religion der Apapocúva-Guarani. In: Zeitschrift für Ethnologie 46 (1914) 284–403.

362 G. Lanczkowski, Das Königtum im Mittleren Reich. In: The Sacral Kingship – La regalità sacra. Leiden 1959, S. 269–280.

363 Alan H. Gardiner, The Admonitions of an Egyptian Sage. Leipzig 1909, recto 10.

364 Bror Olsson, Mundus senescens. In: Lychnos 1954/55, S. 66–81.

365 C. O. Thulin, Die Etruskische Disciplin. Göteborg 1905–1909; Nachdruck Darmstadt 1968. Teil III, S. 63 ff.

366 Daniel 2, 44.

367 Karl Heussi, Vom Sinn der Geschichte. Augustinus und die Moderne. Jena 1930, S. 13.

368 Roderich Schmidt, Aetates mundi. Die Weltalter als Gliederungsprinzip der Geschichte. In: Zeitschrift für Kirchengeschichte 67 (1955/56) 288–317.

369 Ernst Benz, Ecclesia Spiritualis. Stuttgart 1934, S. 9 ff.

370 Theodor Siegfried, Die Idee des dritten Reiches. In: Theologische Blätter 2 (1923) 105–111.

371 Edmund Schlink, Nach dem Konzil. München und Hamburg 1966, S. 125–134.

372 Vgl. Hans-Werner Gensichen, „Verdammliches Heidentum". In: Evangelische Missionszeitschrift 24 (1967) 1–10.

373 Johannes Witte, Die Christusbotschaft und die Religionen. Göttingen 1936, S. 43.

374 Heinrich Frick, Das Evangelium und die Religionen. Basel 1933, S. 39.

375 Albert Schweitzer, Das Christentum und die Weltreligionen. München 1924.

376 Søren Holm, Religionsphilosophie. Stuttgart 1960, S. 87.

377 Walter Holsten, Das Kerygma und der Mensch. München 1953, S. 93 ff.

377a A. Kuenen, Volksgodsdienst en Wereldgodsdienst. Leiden 1882; dt. Volksreligion und Weltreligion. Berlin 1883.

378 Arnold Toynbee, An Historian's Approach to Religion. London 1956; ders., Christianity among the Religions of the World. London 1958.

REGISTER

Autorennamen, die nur in den Anmerkungen zitiert sind, wurden nicht in das Register aufgenommen.